S0-ABP-419

Guía del TEQUILA

ARTES
DE MEXICO

GUÍA DEL TEQUILA
Artes de México

IDEA ORIGINAL Y DIRECCIÓN
Alberto Ruy Sánchez
Margarita de Orellana

COORDINACIÓN GENERAL
Laura Becerril

COORDINACIÓN EDITORIAL
Ana María Pérez Rocha
Sandra Luna

PRODUCCIÓN
Susana González

DISEÑO
Luis Rodríguez
Elisa Orozco

ASISTENTE DE DISEÑO
Héctor Hernández

ILUSTRACIONES
Ruth Rodríguez

ILUSTRACIONES DEL RECETARIO
Elena Climent

FOTOGRAFÍA
Jorge Vértiz
Josefina Rodríguez
Patricia Tamés

EDICIÓN EN INGLÉS
Michelle Suderman

CORRECCIÓN
Stella Cuéllar
Elsa Torres
Gabriela Olmos
Richard Moszka (inglés)
Jana Schroeder (inglés)

TRADUCCIÓN AL INGLÉS
Susan Briante
David Castledine
Lisa Heller

AGRADECIMIENTOS
Consejo Regulador del Tequila
Cámara Regional de la Industria Tequilera
Efraín Polo Bernal
Susana León González
José Antonio García Arista
José Antonio García Sierra
Pablo Gerber Stump

PUBLICIDAD
Laura Becerril
Patricia Algarabel

Primera edición 1998
© Artes de México y del Mundo, S.A. de C.V.
Prohibida la reproducción parcial o total de textos e imágenes de esta edición
ISBN 968-6533-77-X
Impreso en México por Reproducciones Fotomecánicas, S.A. de C.V.

Artes de México
Plaza Río de Janeiro No. 52
Col. Roma 06700 México, D. F
Tels. 525 5905, 525 4036 • Fax 525 5925
E-mail artesmex@internet.com.mx

PARA INICIARSE EN EL

TEQUILA

ALBERTO RUY SÁNCHEZ LACY

SINCE the publication of Artes de México's twenty-seventh issue on the tradition and art of tequila, our readers have not ceased to ask us for basic information on this cultural phenomenon which continues to grow in importance. This guide is meant as a response to that demand, and we hope it will serve for many as an initiation into the fascinating world of tequila. That issue on tequila has received several awards and has been acknowledged in Mexico and abroad as a major step toward a greater understanding and enjoyment of the culture of tequila. But it has also been praised for the contribution it makes to our knowledge of Mexican civilization, as it is a clear example of Artes de México's devotion to culture in the broadest sense, encompassing painting as well as crafts, and the varied and traditional ways of life existing in the country. As we see it, cultural artifacts, whether paintings, sculptures, poems, tinwork frames, clay pots or regional cuisine, are the visible signs of Mexico, the tip of our cultural iceberg. They are memory and re-creation; they are the traces we leave behind and the leaps forward that reinvent those traces. So, from art and culture we receive multiple lessons that teach us about wonder and about our own identity. A British newspaper recently stated that the pages of Artes de México demonstrate— though sometimes unintentionally—that "because of its art and culture, Mexico is greater than its problems." We would not hesitate to include art and culture among our most valued possessions. And the food and drink of each region form a world of values, customs and ideas that constitute a culture. Our issue on tequila was nearly six years in the making, and was inspired by a fundamental question: What historical and cultural process was responsible for making a national emblem out of a regional drink such as tequila, named for the small city in Jalisco where it was first produced? One of the individuals to whom we addressed this question was anthropologist and writer Alfonso Alfaro, who offers a profound

DESDE que publicamos el número 27 de *Artes de México*, dedicado al tequila como arte tradicional, no hemos dejado de recibir mensajes de nuestro público pidiéndonos información básica sobre el fenómeno cultural de esta bebida, cuya importancia no ha dejado de crecer. Esta guía pretende responder a esa demanda y deseamos que sirva, para muchos, como primera iniciación en el tequila y su mundo sugerente. ·*·* Aquella otra edición ha sido ya premiada y reconocida dentro y fuera del país como un aporte esencial para el conocimiento y el disfrute de la tradición tequilera. ·*·* Pero también se le ha reconocido por su contribución al saber de la cultura mexicana, pues es una clara muestra de la preocupación de *Artes de México* por ésta en un sentido amplio, que lo mismo incluye la pintura que las artesanías y las maneras diferenciadas y tradicionales de vivir. Los objetos culturales, ya sean cuadros, esculturas, poemas, marcos de hojalata, ollas de barro o alimentos regionales, son para nosotros signos relevantes de México. Son la punta del *iceberg* de nuestra cultura. Son memoria y recreación; son huella y salto que reinventa a la huella. Recibimos así, de las cosas del arte y la civilización, múltiples lecciones de asombro y de identidad. En un periódico inglés se comentaba hace poco que en las páginas de *Artes de México*, incluso sin quererlo, se demostraba que "por su arte y por su cultura, México es más grande que sus problemas". Creemos, sin duda, que el arte y la tradición de nuestro país están entre lo mejor que éste tiene. Y que la comida y la bebida de cada región establecen un mundo de valores, costumbres e ideas: una cultura. ·*·* La elaboración de aquel número dedicado al tequila duró casi seis años y tuvo como motor una pregunta fundamental: ¿Por qué proceso histórico y cultural una bebida tan regional como el tequila, que lleva el nombre de la pequeña ciudad de Jalisco donde principalmente se fabrica, puede convertirse en símbolo nacional? Entre las personas a las que hicimos esa

and eloquent response in his essay "Tequila and Its Signs: In Praise of the Country Gentleman." This text is fundamental for an understanding of the boom in tequila around the world today. According to Alfaro, tequila is the product of cultural blending in three aspects: its production from a pre-Hispanic plant using the Spanish distillery of Arabic origin; its symbolic value as a product of el rancho grande—the cultural touchstone for average Mexicans; and the business of tequila production—simultaneously bold and conservative, modern and rooted in tradition. For his part, historian José María Muriá elucidates on the signs, geography and history of this elixir in his text "Moments of Tequila," demonstrating that tequila has "a long and tumultuous history, closely linked to that of its native region in western Mexico. Like the region itself, it is clearly mestizo—the product of a cultural blend—and ranchero. It has a semiclandestine and libertarian past. When it tried to escape from under the capital city's thumb, it reaffirmed its irreducible regionalism in the face of New Spain. Populist, federalist and liberal in the nineteenth century—a drink that belonged to the masses, according to the Europeanized tastes of the epoch—it became in the end a revolutionary and nationalistic drink." In the same issue, historian Margarita de Orellana provides us with a chronicle of the oldest existing tequila-producer, which is also one of Mexico's longest-standing firms. Sources ranging from paleographic documents to the Archives of the Indies in Seville serve to trace the Cuervo family line back more than 200 years. María Palomar writes an account of the zone of agave cultivation and its unique landscape which has perpetually fascinated and perplexed travelers. Her narration culminates with André Breton who wrote: "red earth, virgin earth, entirely impregnated with the most fertile blood, a land where human life has little worth, and like the agave plants stretching to the horizon that are the symbol of this land, where it is ever prepared to

pregunta fue el antropólogo y escritor Alfonso Alfaro, quien la respondió con la mayor profundidad y elocuencia en su artículo "El tequila y sus signos: elogio del hidalgo campirano". Su respuesta es clave para entender también el auge y la moda actual del tequila en el mundo. Según Alfaro, el tequila es producto de un triple mestizaje: por su origen (la planta prehispánica y el alambique español, de origen árabe); por su valor simbólico (como producto del "rancho grande", con el que se identifica el promedio del país); por su cultura empresarial, audaz y tradicional al mismo tiempo, moderna y aferrada a "lo auténtico". El historiador José María Muriá aclaró los signos, la geografía y la historia de esta bebida en su texto "Momentos del tequila", mostrando cómo tiene "una larga y azarosa, historia sumamente vinculada con la de su región, el occidente mexicano. Es, como ésta, indudablemente mestizo y ranchero. Tiene un pasado semiclandestino y libertario, cuando a la vez que buscaba escapar a la férula capitalina, afirmaba su irreductible regionalismo frente a la Nueva España. Chinaco, federalista y liberal en el siglo XIX, una bebida propia del populacho, según los europeizados paladares decimonónicos, se transformó, por último, en revolucionario y nacionalista". ·ᐧ La historiadora Margarita de Orellana escribió la trayectoria de la casa tequilera más antigua que existe y que es también una de las más antiguas empresas de México. Desde documentos paleográficos hasta los archivos de Indias en Sevilla sirvieron para trazar los antecedentes de los Cuervo, hace más de 200 años. La escritora María Palomar hizo la crónica del singular paisaje agavero que desde siempre fascinó o cubrió con sus enigmas a los viajeros, hasta culminar con André Breton, quien escribió: "tierra roja, tierra virgen por completo impregnada de la sangre más generosa, tierra donde la vida humana no tiene precio, siempre dispuesta, como el agave que se extiende hasta el horizonte y que la representa, a consumirse en una flor

be consumed in a flower of danger and desire." Within the hacienda, the story of this plant is another. The blades of the agave wait quietly, the fabric of life is woven with no needles piercing the sky. In the same issue, architect Juan Palomar explores the landscape architecture of tequila-producing haciendas that forms an essential complement and stark contrast to the fields of agave that extend beyond them, a "verdant utopia" where "the days are transfigured." Poet Vicente Quirarte comments on the presence of tequila in film and literature. And three other noteworthy writers present works about tequila. In a poem by Álvaro Mutis we discover that "tequila is a pallid flame that passes through walls and soars over tile roofs to allay despair." Another poet, Efraín Huerta, humorously describes the ritual of drinking tequila to a non-Mexican friend. Novelist Laura Esquivel offers a short story in which tequila both cures and injures, inspiring tears and, especially, laughter. Finally, Magali Tercero's lively interview with young and old workers in the agave fields seasons this issue with an indispensable vitality and flavor. A mix of old and new images provides visual documentation. The issue encompasses many distinct and amusing dimensions of the phenomenon of tequila, making it the perfect complement to the Guide to Tequila, which offers a more rudimentary treatment of the subject. ·‧· Artes de México has also published a book on the different landscapes of the tequila-producing region, entitled Jalisco, Land of Tequila. With a much greater concentration on the image than on the written word, the book is a poetic and visual journey through one of Mexico's most interesting states. In addition, the young printmaker Joel Rendón has created a portfolio of four woodcuts entitled The Delirium of Tequila. They are presented in a tinwork frame crowned by an equally metallic agave and are bought mainly by our subscribers. ·‧· The Guide to Tequila is just what our readers have been asking for: a dramatis personae of the swelling ranks of tequilas, and answers to the fundamental questions posed by those who have recently discovered a taste for this beverage. As a complement to the listing of tequilas, we have included recipes so that the reader may prepare cocktails and dishes at home based on this seductive ingredient: tequila. ·‧·

de deseo y de peligro". Dentro de la Hacienda, la historia vegetal es otra. Las espadas del agave reposan, la trama de la vida se teje sin agujas picando al cielo. El arquitecto Juan Palomar explora para nosotros la arquitectura de los jardines dentro de las haciendas tequileras: contraste con el exterior agavero, complemento esencial: "utopía vegetal" donde "los días se transfiguran". El poeta Vicente Quirarte comenta la presencia del tequila en el cine y la literatura. Tres escritores notables exponen creaciones con tequila: Álvaro Mutis un poema donde descubrimos que "El tequila es una pálida llama que atraviesa los muros y vuela sobre los tejados como alivio a la desesperanza". Otro poeta, Efraín Huerta, describe con humor, para un amigo que no es de México, el ritual de tomar tequila. La escritora Laura Esquivel urdió un cuento en el que el tequila cura y duele, hace llorar pero, sobre todo, reír. Una muy viva entrevista realizada por Magali Tercero, con los jóvenes y viejos trabajadores en los campos tequileros da al número una vitalidad y un sabor imprescindibles. Imágenes nuevas y antiguas ilustran con inmensa variedad el número. Son muchas, diferentes y divertidas, las dimensiones del fenómeno tequilero que aborda aquella edición y por eso recomendamos que la lean quienes no lo han hecho, pues complementa esta otra edición más básica. ·+· También publicamos un libro sobre los diferentes paisajes de la región titulado *Jalisco, tierra del tequila*; con muchas más imágenes que textos, esta publicación constituye un recorrido poético pero visual por uno de los estados más interesantes de México. Un grabador joven, Joel Rendón, realizó para Artes de México una carpeta de cuatro grabados que titulamos *Delirio del tequila*. Los enmarcamos en hoja de lata coronada por un agave igualmente metálico y los vendemos especialmente a nuestros suscriptores. ·+· Aquí, en esta guía, nuestros lectores encontrarán lo que nos han pedido: un repertorio descriptivo del mar creciente de las marcas del tequila y las respuestas a preguntas elementales que con frecuencia se hacen los nuevos amantes de este elíxir. Además, incluimos información culinaria que complementa la anterior: recetas para que uno mismo, tal vez en casa, prepare cocteles y platillos con ese ingrediente seductor: el tequila. ·+·

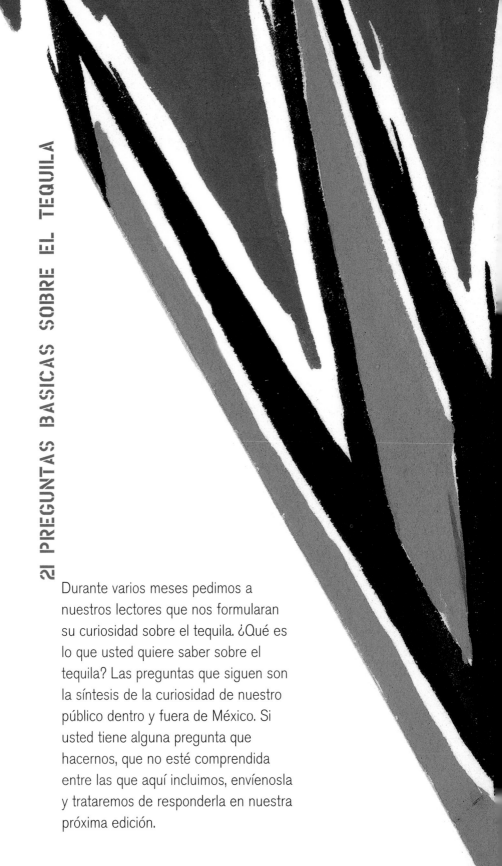

21 PREGUNTAS BASICAS SOBRE EL TEQUILA

Durante varios meses pedimos a nuestros lectores que nos formularan su curiosidad sobre el tequila. ¿Qué es lo que usted quiere saber sobre el tequila? Las preguntas que siguen son la síntesis de la curiosidad de nuestro público dentro y fuera de México. Si usted tiene alguna pregunta que hacernos, que no esté comprendida entre las que aquí incluimos, envíenosla y trataremos de responderla en nuestra próxima edición.

21 KEY QUESTIONS ABOUT TEQUILA

Over a period of several months we asked our readers to tell us what they wanted to know about tequila. The following questions sum up those points that have most piqued the curiosity of both our Mexican and foreign readers. If you have a question that is not included here, send it to us and we will try to provide an answer in a future publication.

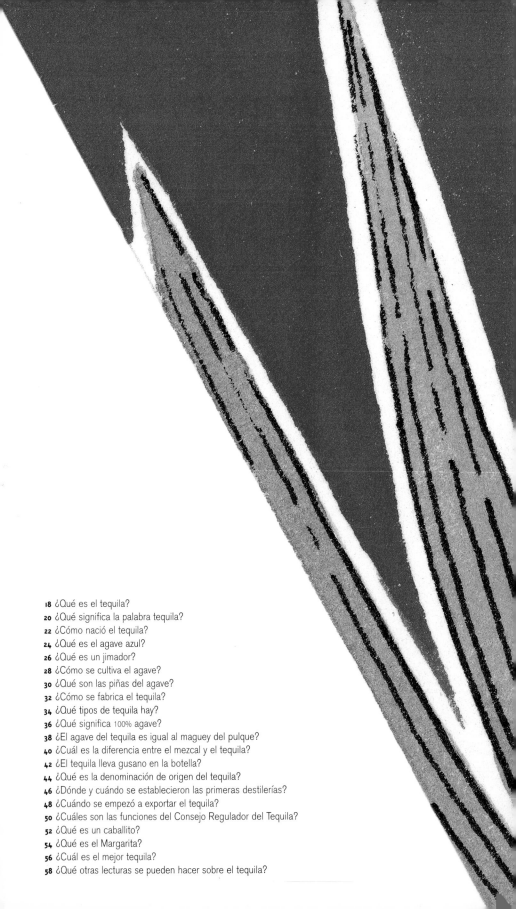

¿Qué es el tequila?

Una bebida mexicana. Aguardiente de inconfundible sabor a jugo destilado de plantas agrestes,
también es como el agua de un río que quema.
Su origen es una planta que marca al paisaje mexicano como huella digital, el agave azul.
Es un elíxir que destila tradiciones, es ingerir historias.
Beberlo es iniciarse en un mundo de leyendas y tradiciones.

Tradición

What *is* tequila?

A Mexican drink.
A spirit with the distinctive
flavor of the distilled juice of
wild plants, it is also like the
water of a burning river.
Tequila is derived from a
plant that indelibly marks
the Mexican countryside:
the blue agave.
It is a distillation of tradition:
to drink it is to absorb stories
and to be initiated into a
world of legends.

¿Qué significa la palabra

Es el nombre del valle de Jalisco donde se ha producido por siglos esta bebida. También es el nombre de un cerro y de la pequeña ciudad donde se encuentran varias fábricas de tequila. El origen náhuatl (*téquitl*: trabajo u oficio; *tlan*: lugar) de la palabra habla de un lugar de trabajo y, a la vez, del trabajo específico de cortar plantas. La palabra tequio se refiere a la tarea de los hombres de campo.

tequila?

a Cruz de Bárcenas
△ 2600
◎ El Portezuelo

La Vega △ ◎ Tala

téquiTl

What does *the word*

tequila mean?

It is the name of a valley in the state of Jalisco where the drink has been
produced for centuries. It is also the name of a mountain
and of the town where several distilleries are based.
The Nahuatl origin of the name (téquitl, job or trade; and tlan, place) signifies
a place of work and also the specific task of harvesting plants.
The word tequio refers to the labor of peasants.

¿Cómo nació

Desde las primeras décadas a partir de la Conquista
nació el tequila como una creación mestiza:
su herencia prehispánica fue la planta americana del
agave, que ya era utilizada para obtener bebidas
fermentadas. Su otra herencia, árabe e hispánica,
fue la destilación en los alambiques recién
introducidos a este continente.
Durante muchos años se conoció como vino de
mezcal o mezcal tequila, pues mezcal o mexcal era
uno de los nombres del agave.

How did tequila *originate?*

*Tequila came into being as a mestizo creation
during the initial decades following the
conquest of Mexico: its pre-Hispanic ancestor
was the American agave, used to produce
fermented beverages even before colonization.
Its Moorish and Spanish ancestry contributed
the process of distillation in the alembics which
had recently been introduced onto the American
continent. For many years it was known as
mezcal wine or tequila mezcal, since mezcal or
mexcal was one of the names given to agave.*

el tequila?

El *Agave azul tequilana Weber* es una de las 136 especies de plantas llamadas agave que crecen en México y cuya divesificación por todo el territorio nacional seguramente se debió a la migración de las etnias que domesticaron el agave a lo largo de los siglos. El naturalista sueco Carlo de Linneo la llamó agave en 1753, aprovechando esa palabra griega que significa admirable o noble. Algunos poetas describen su forma como la de un asombro: una razón o raíz secreta que extiende sus hojas hacia el cielo como una exclamación multiplicada. La variedad azul es la utilizada para la elaboración del tequila y se distingue por el intenso color azul de su roseta (forma que toman las hojas de la planta) y por sus numerosos hijuelos de rizoma (tallo horizontal y subterráneo). Fue tipificada por un botánico llamado Weber a principios de este siglo, por lo que lleva su nombre. Cuando el agave madura, de su centro se eleva un tallo muy alto con flores, que se conoce como quiote. Con esta floración culmina la vida de la planta. Los quiotes tiernos se comen como verdura. El agave azul se da principalmente en los municipios de Amatitán, Arenal, Tequila y Hostotipaquillo y en el noreste de la región de Ameca, así como en la de los Altos: Atotonilco, Zapotlanejo, Totolán, Arandas, Jesús María y Tepatitlán.

What is blue agave?

¿Qué es el **agave** azul?

Agave tequilana Weber, blue variety, is one of the 136 species of agave that grow in Mexico. Its distribution around the country is likely due to the migrations of ethnic groups that domesticated it over the course of centuries. The Swedish botanist Carl Linnaeus baptized the genus in 1753, taking its name from the Greek word meaning admirable or noble. Some poets describe it as having a wondrous form: a secret root or reason stretching its leaves toward the sky like a multipartite exclamation. The blue variety is used to produce tequila and is distinguished by the blue tinge of its leaves which grow in a roseate arrangement, and by the numerous shoots put up by the rhizome (a horizontal underground stem). It was classified by a botanist named Weber early in this century, which is why it bears his name. When the agave matures, a very tall flower stalk known as the quiote rises from its center. Flowering brings the plant's life to an end. Tender quiotes are eaten as a vegetable. Blue agave grows mainly in the municipalities of Amatitán, Arenal, Tequila and Hostotipaquillo; in the northeastern part of the Ameca region; and in Los Altos, in towns such as Atotonilco, Zapotlanejo, Totolán, Arandas, Jesús María and Tepatitlán.

JIMADOR

¿Qué es un

jimador?

Es preciso cortar las hojas o pencas del agave para obtener la cabeza o piña, de la cual, una vez cocida, se extraerán los jugos básicos para elaborar el tequila. Esta labor de cortar las pencas y el tallo subterráneo se llama la jima, y el experto que la realiza es el jimador. Para ello utiliza la coa, un instrumento cortante de mango largo. Según don Ceferino, que hoy tiene 60 años pero que de joven fue uno de los jimadores más rápidos de la región: "Para ser bueno en este oficio hay que tener tacto para cortar las hojas de la piña. Hay que hacerlo de un solo golpe y a la misma medida, porque si no se sabe hacerlo y se le golpea más alto se tienen que repetir otros dos golpes para emparejarla. Eso lo llamamos 'coyazo': no repetir el golpe en el mismo lugar." El jimador conoce los agaves con sólo verlos: sabe si ya se encogieron y están listos para la jima; si están pasados de madurez, si están plagados, etcétera.

What is a jimador? The fleshy leaves of the agave must be cut off to obtain the plant's heart or piña which, when cooked, provides the juices that form the basis for tequila. The work of cutting the leaves and underground stem is called jima and the man who carries it out is the jimador. He uses a long-handled tool similar to a hoe called a coa. According to Don Ceferino—now sixty, but in his youth, one of the fastest jimadores in the region— "to be good at this job you have to have the right touch for cutting the leaves off the heart. It must be done with a single stroke at the same height, because if you don't know how and you cut higher up you have to cut twice more to make it even. We call this coyazo, which means not cutting again in the same place." Jimadores can assess agaves just by looking at them: they can tell whether they have shrunk and are ready for cutting, or if they are too mature, diseased, and so on.

¿Cómo se cultiva el agave?

En suelos arcillosos de clima semiseco, sin cambios bruscos de temperatura alrededor de los 20 grados centígrados y a unos 1 500 metros sobre el nivel del mar, bajo cielos nublados entre 70 y 100 días al año. Al inicio de la temporada de lluvias, en la tierra labrada se plantan los hijuelos —o semillas, que se arrancan de una planta madre. Anualmente se ara la tierra y se podan las pencas para dejar sólo las que rodean al cogollo; a esto se le llama barbeo. La planta madura entre los siete y los diez años, pero los ciclos de cultivo varían en las diferentes regiones y hasta en un mismo sembradío. Las técnicas de cultivo se han mantenido iguales desde hace siglos. Los instrumentos tradicionales para cortar las hojas, como la coa, el barretón, la casanga y el machete, siguen siendo indispensables. Los trabajadores del campo continúan aprendiendo sus oficios de generación en generación.

How are agaves grown?

Cultivation requires clay-rich soil in a semi-arid climate with a temperature that remains stable around 20° Celsius. Agave is grown at some 1500 meters above sea level under skies that are overcast 70 to 100 days of the year. At the beginning of the rainy season, agave sprouts or babies are removed from the parent and planted in tilled land. The fields are plowed once a year, and the fleshy leaves of the agave are pruned leaving only those encircling the heart; this task is called barbeo or barbering. Plants mature in 7 to 10 years, but growing cycles vary from region to region, and even on the same plantation. Cultivating techniques have remained unchanged for centuries. Traditional tools for cutting leaves, such as coas, barretones, casangas and machetes, are indispensable and it is still common for workers to hand down the skills of their trade from generation to generation.

¿Qué son las piñas del agave?

Al quitar las pencas queda el corazón o la piña que el jimador desprende de la raíz. Antes de cortar las hojas no se sabe con certeza el peso de la piña. Según don Ceferino, el jimador, algunas llegan a pesar hasta 150 kilos. Una vez que las piñas han sido peladas, los cargadores las llevan del campo al vehículo que las transporta a la fábrica. Incluso el trabajo de cargarlas requiere capacitación y habilidad. Dice don Ceferino que: "Si el cargador no tiene el modo de levantar, la experiencia o el colmillo, no lo logrará. Toda esa piña se carga en la cabeza y hay mucho que caminar. En el patio de la fábrica es más fácil porque es terreno franco de cemento. Pero en el campo y en tiempos de agua, te puede pasar que se te suma un pie, e incluso que te andes resbalando." Una vez en la fábrica, las piñas se apilan frente a los hornos. Otros trabajadores las cortan a la mitad o en cuartos y las meten en los hornos para el cocimiento que transformará sus almidones en azúcares.

What are agave *piñas?*

When the leaves have been cut off, what is left is the piña or heart, which the jimador *separates from the root. Before the leaves are cut off, it is not possible to be sure how much the heart weighs. According to jimador Don Ceferino, some weigh up to 150 kilograms. Once the piñas have been trimmed, loaders carry them from the fields to the vehicles that will take them to the factory. Even carrying them requires knowledge and skill. In Don Ceferino's words, "If a loader doesn't know how to lift them, if he hasn't got the experience or the knack, he won't be able to do it. We always carry the piñas on our heads, and it's a long way to walk. It's easier on the factory yard because the ground is hard concrete. But in the fields during the rainy season your foot can sink in or you can slip." Once at the factory, the hearts are piled up in front of the ovens. Other workers cut them in halves or quarters and load them into the ovens to cook, which will convert their starches into sugars.*

¿Cómo se fabrica el tequila?

Una vez que las piñas del agave han sido cocidas
—ya sea en horno o en autoclaves (que son como ollas de
presión)— se meten a un molino que las tritura.

El mosto o las mieles así extraídas se fermentan en tinas
especiales. Cuando el tequila no es 100% de agave,
estas mieles se mezclan con otras, sobre todo de caña de
azúcar, para que fermenten juntas. En la fermentación
los azúcares se transforman en alcohol etílico.

Estos fermentos pasan luego a los alambiques, donde se
calientan a altas temperaturas, se evaporan y luego se
condensan volviéndose nuevamente un líquido que ya es tequila.

Sin embargo, en este paso todavía tiene impurezas,
por lo que se requiere una segunda destilación. Así se obtiene el
producto de mayor calidad que es el tequila blanco.

tequila How is manufactured?

Once the agave hearts have been cooked, either in ovens or autoclaves (which operate like pressure cookers) they are placed in crushing mills. The juice or must obtained is fermented in special tanks. If it is not 100-percent agave tequila, this juice is mixed with other types—particularly sugarcane—and they are fermented together. Fermentation converts the sugar into ethyl alcohol. The fermented juices then pass into stills, where they are heated to a high temperature to evaporate and then condense back into a liquid that can already be called tequila. However, it still contains impurities at this stage and so must be distilled a second time. The result is top quality blanco tequila.

Se puede hablar básicamente de tres tipos de tequila: blanco, reposado y añejo. El blanco es transparente como el agua. Se obtiene inmediatamente después de la segunda destilación. Muchos conocedores lo prefieren porque su sabor es más puro. El reposado se obtiene después de haber conservado al tequila blanco por lo menos dos meses en barriles de madera de roble o encino. Su coloración tiende a ser levemente similar a la de la madera. Su sabor es ligeramente más suave que el del blanco. Es el más consumido. El añejo permanece en maduración por lo menos un año en las mismas barricas de madera. Es más oscuro que el reposado y su sabor a madera es más pronunciado. Para quienes beben tequila por primera vez, el añejo tal vez sea el más recomendable. Cada fábrica elabora variantes de estos tres tipos. Algunas los diluyen con agua, saborizantes o colorantes y lo llaman tequila abocado.

kinds of tequila

What

There are basically three styles of tequila: blanco, reposado and añejo. Blanco or white tequila is as clear as water and is a finished product following the second distillation. Many connoisseurs prefer it because of its pure flavor. Reposado or "rested" tequila is the result of storing white tequila in oak or holm oak barrels for at least two months. It tends to have a somewhat woody color, and it is slightly smoother in taste than blanco tequila. Reposado is the most widely consumed tequila. Añejo or aged tequila is matured for at least a year in oak or holm oak barrels. It is darker than reposado tequila, and its woody flavor is more pronounced. For first-time drinkers, this is perhaps the most recommendable. Each factory makes variations of the three styles. Some add water, flavoring or coloring and call the resulting tequila abocado (sweet or mild).

bl*a*NC0

¿Qué tipos de tequila hay?

are there?

¿Qué significa 100% de agave?

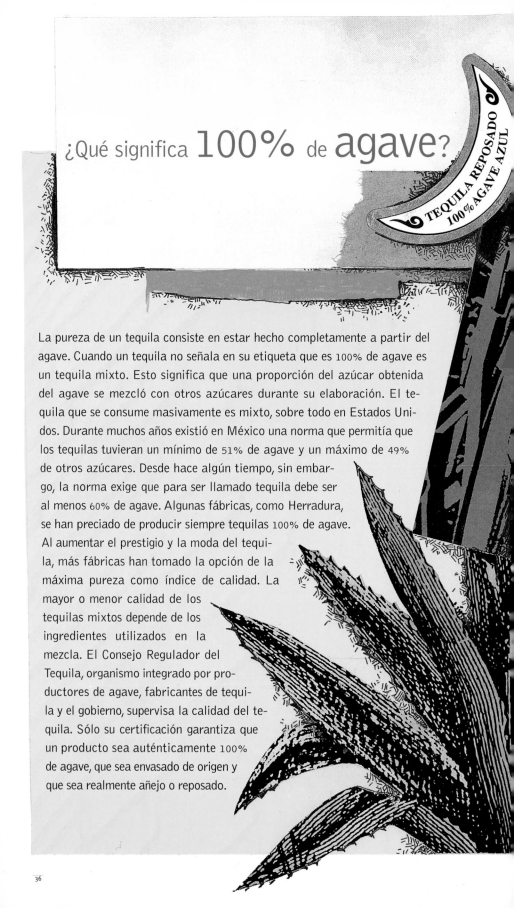

La pureza de un tequila consiste en estar hecho completamente a partir del agave. Cuando un tequila no señala en su etiqueta que es 100% de agave es un tequila mixto. Esto significa que una proporción del azúcar obtenida del agave se mezcló con otros azúcares durante su elaboración. El tequila que se consume masivamente es mixto, sobre todo en Estados Unidos. Durante muchos años existió en México una norma que permitía que los tequilas tuvieran un mínimo de 51% de agave y un máximo de 49% de otros azúcares. Desde hace algún tiempo, sin embargo, la norma exige que para ser llamado tequila debe ser al menos 60% de agave. Algunas fábricas, como Herradura, se han preciado de producir siempre tequilas 100% de agave. Al aumentar el prestigio y la moda del tequila, más fábricas han tomado la opción de la máxima pureza como índice de calidad. La mayor o menor calidad de los tequilas mixtos depende de los ingredientes utilizados en la mezcla. El Consejo Regulador del Tequila, organismo integrado por productores de agave, fabricantes de tequila y el gobierno, supervisa la calidad del tequila. Sólo su certificación garantiza que un producto sea auténticamente 100% de agave, que sea envasado de origen y que sea realmente añejo o reposado.

What does 100%
agave mean?

Pure tequila is made entirely from agave. When the label does not specify "100% agave," the tequila is mixto (mixed). This means that a proportion of the sugar extracted from agave has been combined with other sugars during the manufacturing process. The tequila most commonly consumed, especially in the United States, is mixto. For many years Mexican standards permitted tequilas to contain a minimum of 51-percent agave and up to 49-percent other sugars. However, for some time now, industry norms have stipulated that the drink must be at least 60-percent agave to be called tequila. Some factories, Herradura for example, pride themselves on always having produced 100-percent agave tequila. As the prestige and popularity of tequila have grown, more and more factories have opted for maximum purity as a gauge of quality. The quality of mixto tequilas depends on the ingredients used. The Tequila Regulatory Council, an organization made up of agave-growers, tequila-producers and the government, supervises the quality of tequila. Only the certificate it issues guarantees that a given product is truly 100-percent agave, bottled on-site and either reposado or añejo.

aGave

¿El agave del tequila es igual al maguey del pulque?

No, el maguey del cual se extrae y se fermenta el pulque es otro tipo de agave, el *atrovirens Kawr* o manso. Fue muy usado en la época prehispánica. Los códices señalan 17 formas diferentes de esta planta. La diosa mexica de la fertilidad, Mayahuel, se habría convertido en maguey y sería símbolo de la sobrevivencia. El pulque, bebida ritual en la antigüedad, es una fermentación del aguamiel extraído directamente de la planta y se consume hasta nuestros días. El tequila no se hace a partir del aguamiel o del pulque, como algunos piensan; se destila a partir de los azúcares del corazón cocido de otro tipo de agave, el *tequilana Weber*, de hojas más delgadas y rígidas, de color más azulado.

Is tequila agave *the same* as the *maguey* used to make *pulque?*

No. Maguey, from which pulque is extracted and fermented, is a different type of agave—A. atrovirens Kawr *or mild agave. It was widely used in pre-Hispanic times, and codices record seventeen different forms of this plant. The Mexica fertility goddess Mayahuel was said to have changed into a maguey, thus coming to symbolize the continuity of life. Pulque was a ritual drink in ancient times. It is produced by the fermentation of maguey juice* (aguamiel) *extracted directly from the plant and is still drunk today. Tequila is not made of* aguamiel *or pulque as many believe. It is distilled from the sugar-rich juices of the cooked hearts of another species of agave,* A. tequilana Weber, *which has narrower, more rigid leaves and a stronger blue tinge.*

¿Cuál es la diferencia entre el mezcal y el tequila?

El mezcal se obtiene de diversas variedades de agave, como el limeño, el raicilla, el pata de mula, el bovicornuta y el cupreata, entre otros. El tequila, en cambio, se obtiene del *Agave azul tequilana Weber* y variedades afines. El mezcal se considera como un producto terminado después de una destilación. El tequila, en cambio, requiere por lo menos dos destilaciones, además debe ser filtrado meticulosamente para eliminar impurezas y suavizar su sabor. El mezcal suele tener desde el principio un color más concentrado y un sabor más agresivo. Con frecuencia sabe ahumado dada la costumbre de quemar las piñas del agave en un "horno de piso" bajo tierra, y, de hecho, ese sabor se busca como una de sus cualidades.

What is the *difference* between *tequila* and mezcal?

Mezcal is made from several different varieties of agave with such names as limeño, raicilla, pata de mula, bovicornuta *and* cupreata, *among others. Tequila is made only from* Agave tequilana Weber, blue variety. *Mezcal is considered to be ready for consumption after a single distillation, whereas tequila requires at least two, and is carefully filtered to eliminate impurities and to mellow its taste. Mezcal tends to have a more concentrated color and a more potent flavor right from the beginning. It often tastes smoky as a result of the custom of baking the piñas underground in a pit kiln. This flavor is in fact considered one of its desirable traits.*

¿El tequila lleva gusano en la botella?

El gusano de maguey dentro de la botella es característico de algunos mezcales, nunca del tequila. Los fabricantes de mezcal argumentan que el gusano, al alimentarse en vida de la planta del agave mezcalero, conserva en su cuerpo un concentrado de la misma, de ahí que su presencia en el licor envasado realce su sabor. Hay gusanos rojos y blancos; este último es el más apreciado. En las plantaciones de agave para mezcal, el gusano se busca y se cultiva. En las plantaciones de agave para tequila se considera una plaga que debe exterminarse porque debilita la planta.

Does tequila come with a *worm* in the bottle?

The maguey worm inside some bottles is characteristic of certain mezcals, never of tequila. Mezcal-producers maintain that because the worm feeds on the agave plant, it contains a concentrated essence of the plant, and thus serves to enhance the flavor of the bottled liquor. There are red and white worms, the latter being the most highly valued. Worms are sought out and bred on mezcal plantations, while in agave fields for tequila production they are regarded as pests to be destroyed because they weaken the plants.

¿Qué es la denominación de origen del tequila?

Ante el aumento del consumo mundial del tequila surgieron en varios países otros licores que son vendidos como tequila, aunque no lo sean. Los productores mexicanos lograron que el gobierno sólo permita llamar tequila a la bebida producida a partir del *Agave azul tequilana Weber*, y que respete las normas de calidad, además de que fuera producido únicamente en ciertas regiones del país que incluyen todo Jalisco y partes de Michoacán, Guanajuato, Nayarit y Tamaulipas. Se ha buscado durante muchos años el reconocimiento internacional de esta medida, de la misma forma que la tiene el cognac, por ejemplo. En mayo de 1997, Mexico firmó con la Unión Europea un acuerdo para proteger la denominación de origen del tequila.

What is tequila's
appellation of origin?

With the growing consumption of tequila worldwide, several countries began selling other spirits as tequila. Mexican producers persuaded the government to stipulate that only the drink made with Agave tequilana Weber, blue variety, *according to certain quality standards could be called tequila. By law, it is produced exclusively in certain areas of Mexico, including all of Jalisco and parts of Michoacán, Guanajuato, Nayarit and Tamaulipas. Efforts have been made for many years to achieve international recognition for these measures, as has occurred in the case of cognac, for example. In May 1997, Mexico signed an agreement with the European community to stand by tequila's appellation of origin.*

EN TEQUILA EN 1800

¿Dónde y cuándo se establecieron
las primeras destilerías?

No existen documentos sobre los primeros
alambiques tequileros, sin embargo, ya en 1538 el
gobernador de Nueva Galicia, territorio que
abarcaba lo que hoy es Jalisco, estableció una
ley para controlar la producción de lo que
entonces se llamaba vino de mezcal. Se sabe que
en el siglo XVIII, Pedro Sánchez de Tagle hizo
crecer el cultivo del agave en el valle de Tequila
y estableció formalmente una destilería o taberna
en la hacienda de Cuisillos. En 1758,
la familia Cuervo y Montaño fundó una destilería
en la hacienda de Arriba. En 1785 el virrey
Matías de Gálvez logró que el rey de España
prohibiera la fabricación y venta de bebidas
embriagantes; medida que duró una década.
Una vez abolida esta orden, en 1795,
José María Guadalupe de Cuervo fundó una
destilería en La Cofradía de las Ánimas,
que se llamaría después la Taberna de Cuervo,
que es el origen de la actual Casa Cuervo.
Tequila Sauza se originó en 1873 y Tequila
Herradura en 1870.

Where and when were
the first distilleries
established?

There are no records of the first tequila stills. However, in 1538 the governor of New Galicia—an area that included what is now the state of Jalisco—issued a law to control the production of "mezcal wine." We know that in the eighteenth century, Pedro Sánchez de Tagle expanded agave cultivation in the valley of Tequila and legally established a distillery or taberna at the Hacienda de Cuisillos. In 1758 the Cuervo y Montaño family founded a distillery on the Arriba hacienda. In 1785, Viceroy Matías de Gálvez persuaded the king of Spain to prohibit the production and sale of intoxicating beverages, a measure that was enforced for ten years. When the law was abolished in 1795, José María Guadalupe de Cuervo set up a distillery at La Cofradía de las Ánimas, later to be called La Taberna de Cuervo. This was the origin of the company now known as Casa Cuervo. The Tequila Sauza company dates back to 1873 and Tequila Herradura, to 1870.

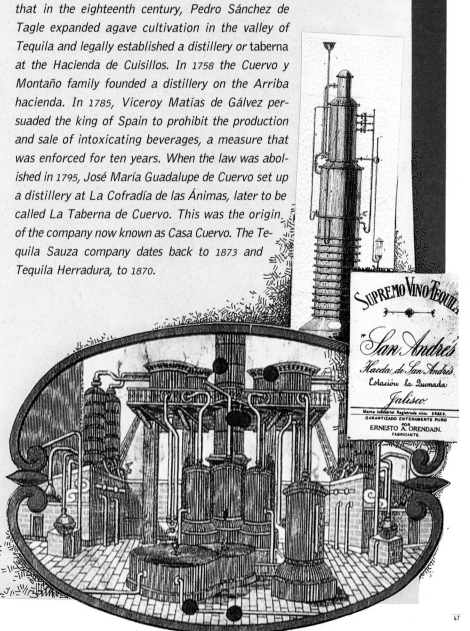

SUPREMO VINO TEQUILA

"San Andrés"

Hacda. de San Andrés
Estación la Quemada
Jalisco.

Marca Industrial Registrada núm. 24823.
GARANTIZADO ENTERAMENTE PURO
POR
ERNESTO A. ORENDAIN.
FABRICANTE.

¿Cuándo se empezó a exportar
el tequila?

Desde el siglo XVI las destilerías de la región de Jalisco, la Nueva Galicia, exportaron su bebida a las principales ciudades y zonas mineras de lo que ahora es México. Por tierra llegaban a las ferias de otras regiones y a los puertos, principalmente al de San Blas, en Jalisco, fundado en 1768. Un viajero, José Longinos Martínez, escribió en 1792 un diario de su recorrido desde la ciudad de México hasta San Blas, donde cuenta que, entre Amatitán y Tequila, el paisaje estaba cubierto de agaves, y que desde ahí muchos miles de barriles de vino mezcal se embarcaban cada año. Alrededor de 1870 el tequila llegaba a Estados Unidos en carreta. El ferrocarril aceleró la expansión del comercio tequilero y la modernización industrial de las principales destilerías estuvo ligada a su exportación. Actualmente, el tequila es uno de los principales productos exportados por México.

When did the exportation
of tequila begin?

Beginning in the sixteenth century, distilleries in the region of Jalisco (New Galicia) sent their product to the principal cities and mining areas of what is now Mexico. It was transported overland to fairs in other regions and to seaports—in particular that of San Blas, Jalisco, founded in 1768. In 1792, a traveler named José Longinos Martínez wrote a diary of his journey from Mexico City to San Blas, in which he notes that the countryside between Amatitán and Tequila was covered in agaves and that thousands of barrels of mezcal wine were shipped out of there every year. Around 1870, tequila began arriving in the United States by cart. The railroad speeded up the growth of the tequila market, and the industrial modernization of the major distilleries affected the level of exportation. Today, tequila is one of Mexico's main commodities sold abroad.

Exportación

¿Cuáles son las funciones del
Consejo Regulador
del Tequila?

Esta asociación civil establece que para denominarse tequila, una bebida debe contener un mínimo de 38% y un máximo de 55% de volumen de alcohol. Entre las principales funciones del Consejo está el registro y la supervisión de todas las marcas que se elaboran en México e incluso aquellas que se maquilan en el extranjero. Estas últimas serán autorizadas por el Consejo siempre y cuando se preparen con tequila de los productores registrados en este país. Otra de sus responsabilidades consiste en demandar a las marcas que violen estos principios, mismos que fueron dados a conocer en el *Diario Oficial* del 3 de septiembre de 1997.

What are the functions of the Tequila
Regulatory Council?

This not-for-profit association established the guideline that to be denom-
inated a tequila, a given liquor must contain a minimum of 38 and a maximum of 55 percent by volume of alcohol (between 76 and 110 proof). The
Council's principal activities include the registry and supervision of all brands
of tequila manufactured in Mexico and even those bottled outside of the
country. The latter can only be authorized by the Council if they are prepared
using tequila from one of the registered producers in Mexico. Another of
the Council's responsibilities is to take legal action against brands that
violate these standards, which were announced in the Diario Oficial of
September 3, 1997.

¿Qué es un Caballito?

Es una copa o pequeño vaso característico para tomar tequila; un pequeño cilindro de vidrio con la base siempre más estrecha que la boca. No hay certeza de su origen, pero su antecedente inmediato son los cuernos de toro que se utilizaban en las fábricas de tequila, también llamadas tabernas, para probar el licor recién salido del alambique. El caballito es una simplificación en vidrio del cuerno con la punta recortada para poder pararlo en la barra o en la mesa.

What is a caballito?

This is a small shot glass specifically for serving tequila. It has a characteristic cylindrical form, narrower at the base than at the top. Its origin is not certain, but its immediate predecessors are the bulls' horns used at tequila factories—also called tabernas—for tasting the spirit straight from the still. The caballito is a simplified version in glass of those bulls' horns, which had their point cut off so they could be rested on bars or tables.

¿Qué es el Margarita?

Es un coctel preparado a base de tequila. Se sirve en una copa coctelera con el borde cubierto de limón y sal. Se mezcla el tequila con jugo de limón, Cointreau y hielo picado. Hay una gran variedad de combinaciones. Esta popular bebida multiplicó el consumo del tequila en el mundo, sobre todo en Estados Unidos. Son muchas las personas y bares que se adjudican su invención, tanto en ese país como en México. Una de las historias más conocidas señala que fue Margaret Sames, una mujer texana, quien lo ofreció por primera vez a sus invitados en su casa de Acapulco. Otra cuenta que Carlos "Danny" Herrera, de Tijuana, la preparó en honor de Marjorie —Margarita— King, una incipiente actriz que no podía beber otra bebida alcohólica que no fuera tequila... y Cointreau. Existen algunas preparaciones embotelladas, pero siempre goza de más aceptación el Margarita hecho en el momento.

What is a margarita?

This is a cocktail prepared with tequila. It is served in a champagne glass with the rim dipped in lime juice and coated in salt. The drink consists of tequila blended with lime juice, Cointreau and crushed ice, but there are endless variations on this theme. This popular drink increased world consumption of tequila, particularly in the United States. There are many individuals and bars that credit themselves with the invention of the cocktail, both in Mexico and the United States. One of the most famous tales relates that a Texan woman named Margaret Sames served it for the first time to her visitors at her house in Acapulco. Another claims Carlos "Danny" Herrera from Tijuana created it in honor of Marjorie (Margarita) King, a beginning actress who could not drink any alcoholic beverage but tequila... and Cointreau. There are some bottled mixes on the market, but freshly made margaritas are always best.

MaRGariTA

Una vez que se ha elegido un tequila del que se tiene la certeza de que fue elaborado con calidad, el mejor tequila será siempre, sin duda, el que más le guste, el que le caiga bien, el que llene sus deseos de aroma y sabor, de agresión o suavidad en la garganta. Recomendamos probar muchos, descubrir diferencias sutiles entre unos y otros; establecer sus preferencias y atreverse a cambiarlas, si las evidencias se lo requieren. El gusto de cada quien es la clave del buen tequila. Poder comparar es el espacio de elección amplio o estrecho que ofrecemos a nuestro gusto. Dése el gusto de ejercer su gusto. Descubra el mejor tequila y compártalo diciendo: "Éste es el mejor", pero no se olvide de añadir, "el mejor para mí".

Which is *the best* tequila?

The final decision as to the best tequila always rests with the consumer. By selecting a tequila of guaranteed quality that you like, that meets all your expectations as to flavor and bouquet, roughness or smoothness, you can't go wrong. We recommend trying many different brands to discover the subtle differences among them, to form your personal preferences and even modify them as experience dictates. The key to a good tequila lies in the drinker's likes and dislikes. The opportunity of comparing different brands is what determines an individual's range of options. Enjoy the experience of enjoying tequila. Find the best tequila and share it, saying, "This is the best one," but never forget to add, "...the one I like best."

¿Cuál es el mejor tequila?

el Mejor...

¿Qué otras lecturas se pueden hacer sobre el tequila?

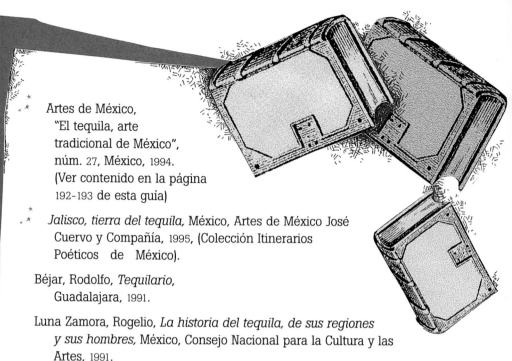

Artes de México, "El tequila, arte tradicional de México", núm. 27, México, 1994. (Ver contenido en la página 192-193 de esta guía)

Jalisco, tierra del tequila, México, Artes de México José Cuervo y Compañía, 1995, (Colección Itinerarios Poéticos de México).

Béjar, Rodolfo, Tequilario, Guadalajara, 1991.

Luna Zamora, Rogelio, La historia del tequila, de sus regiones y sus hombres, México, Consejo Nacional para la Cultura y las Artes, 1991.

Muriá, José María, El tequila. Boceto histórico de una industria, Guadalajara, Universidad de Guadalajara, 1990, (Cuadernos de Difusión Científica, núm. 18)

—, Una bebida llamada tequila, Guadalajara, Editorial Ágata, 1996.

Pérez, Lázaro, Estudio sobre el maguey llamado mezcal en el estado de Jalisco, 1887. Guadalajara, El Colegio de Jalisco, 1992, (Cuadernos de Estudios Jaliscienses).

Valenzuela Zapata, Ana Guadalupe, El agave tequilero: su cultivo e industrialización, Guadalajara, Monsanto, 1994.

What else can I read about tequila?

Artes de México. Tequila, A Traditional Art of Mexico. *Artes de México (Mexico City)* no. 27 (1994). *(See page 192-193 of this guide for contents.)*

Jalisco: Land of Tequila. *Itinerarios Poéticos de México. Mexico City: Artes de México-José Cuervo y Compañía, 1995.*

Lucero, Al. Maria's Real Margarita Book. *Berkeley: Ten Speed Press, 1994.*

Pacult, F. Paul. "Thirty Top Tequilas." Spirits & Cocktails *(Dallas) July–August, 1998: 44–62.*

Walker, Anne y Larry Walker. Tequila: The Book. *San Francisco: Chronicle Books, 1994.*

Los

TEQUILAS

de la

A

AGAVE REAL

Este tequila, 100% de agave azul, deja huella en el alma, hace sentir su embrujo y saca los corajes del cuerpo. El reposo en barricas de roble y su cuidadosa elaboración artesanal le otorgan un color ámbar y un aspecto brillante. Su suavidad se siente en la garganta como una bendición de la diosa Mayahuel, símbolo de la fecundidad de la tierra, quien al ser convertida en maguey brindó a los hombres los dones necesarios para sobrevivir. Su botella de vidrio soplado, hecha a mano, luce un original grabado con la técnica de *sandblast*; el tapón de corcho y madera, con un empaque regional y autóctono, le dan distinción y realce. Esta bebida es de producción limitada en México.

The magic of this 100% blue agave tequila leaves its mark upon the soul of anyone who drinks it; all frustrations are forgotten. Storage in oak barrels and a meticulous craft-production process give it an amber hue and a sparkling appearance. It is so smooth it slides down the throat like a blessing from the goddess Mayahuel, a symbol of the earth's fertility who, converted into a maguey, provided humanity with all it needed to survive. Agave Real's handmade blown-glass bottle features a unique sandblasted engraving and a cork-and-wood stopper; with its regional and autochthonous packaging, these details give it an eye-catching, distinctive appearance. Production is limited in Mexico.

AGAVE REAL, S.A. DE C.V.

Río Juchipila 2077, Colonia Las Águilas, 45080, Zapopan, Jalisco
Tel. (3) 631 0022

ALLENDE

Este tequila, 100% de agave azul, se elabora y se envasa de origen en la hacienda Corralejo, en Guanajuato. Dicho sitio fue cuna de Miguel Hidalgo, por ello esta bebida lleva el nombre de quien fuera uno de sus más leales lugartenientes en la lucha de Independencia: José Ignacio María de Allende. Esta tradicional bebida ha despertado apasionadas palabras: "Destilado de melancolía y de lucidez, de intenso amor a lo bueno, de la necesidad de morder la tierra y escuchar la poesía del canto popular". La destilación en alambiques de cobre y el reposo en barricas de roble blanco dan por resultado su sabor tradicional. Tiene dos presentaciones: blanco y reposado. Se exporta a Guatemala y a Costa Rica.

This 100% blue agave tequila is manufactured and bottled on-site at the Hacienda Corralejo in Guanajuato, the birthplace of Mexican national hero Miguel Hidalgo. That is why the brand bears the name of one of his most loyal lieutenants in the fight for Mexico's independence: José Ignacio María de Allende. This traditional beverage has inspired passionate words: "Distilled from melancholy and from lucidity; from an intense love for good; from a need to bite into the earth and hear the poetry of the people's song." Its distillation in copper stills and storage in white oak barrels combine to create Allende's traditional flavor. It is available in two styles—blanco and reposado—and is exported to Guatemala and Costa Rica.

TEQUILEROS MEXICANOS, S.A. DE C.V.

*Alica 76, Colonia Lomas de Chapultepec, 11000, México, D.F.
Tel. (5) 520 3585 / Fax (5) 570 4450*

ALTEÑO

La destilería La Quintaneña fue fundada en 1872 por don Francisco Romero González, quien ya desde 1852 era pionero en la fabricación del también llamado "vino mezcal" o "vino tequila". Ahí nació Alteño, exquisita bebida de cuidadosa elaboración que debe su nombre a que se produce con los mejores agaves de los Altos. Reposa en barricas de roble blanco durante seis meses, lo que le da un seco sabor, un color amarillo brillante y un aroma amaderado. El diseño clásico de su botella permite apreciar su brillantez y colorido. Alteño es 100% de agave y su reserva numerada de 1998, certificada ante notario, se elaboró con agaves cuidadosamente seleccionados de Santa Lucía.

The La Quintaneña distillery was founded in 1872 by Francisco Romero González, a pioneer in the manufacture of what was known as "tequila wine" or "mezcal wine" since 1852. That distillery gave rise to Alteño: an exquisite liquor produced with meticulous care using the finest agaves from Los Altos, the region of Jalisco that gave this tequila its name. After being stored for six months in white oak barrels, it achieves its dry flavor and woody bouquet, as well as its sparkling yellow hue that is set off by the classic design of its bottle. Alteño is a 100% agave tequila, and the 1998 numbered reserve, certified before a notary public, was manufactured using carefully selected plants from Santa Lucía.

LA QUINTANEÑA

José Ma. Morelos 285, 46400, Tequila, Jalisco • Tel. (374) 200 06 • Email tevirsa@tequilanet.com.mx
Distribuidor: Productos de Uva, S.A. de C.V., Antonio M. Rivera 25, Fraccionamiento
Industrial San Nicolás, 54030, Tlalnepantla, Edo. de Méx. • Tel. (5) 390 0277 / Fax (5) 565 2526

AMATE

El amate, papel hecho a mano por nuestros notables artesanos, dio nombre a esta marca, creada por Juan Arroyo Rivera y Carlos Monsalve Agraz, en la ciudad de México. Una botella de línea con etiqueta de rasgos mexicanos guarda a este joven tequila, cuya aparición data de enero de 1998. Amate se presenta como: blanco, reposado, añejo y abocado. Su aspecto cristalino y suave sabor dan cuenta de la calidad distinguida con raza. Se exporta a Estados Unidos.

Amate is a traditional handmade paper fabricated by Mexican artisans, and the inspiration for the name of this brand created by Juan Arroyo Rivera and Carlos Monsalve Agraz in Mexico City. The bottle is of standard design, and its label features typically Mexican elements. This tequila is available in four styles: blanco, reposado, añejo or abocado. Its crystal clarity and smooth flavor attest to its distinguished, purebred quality. Exported to the United States.

LA COFRADÍA, S.A. DE C.V.

Emerson 148-604, Colonia Polanco, 11570, México, D.F.
Tel. (5) 254 0408 / Fax (5) 250 3861 • Email jarroyo@mexred.net.mx

ARFOR-REVOLUCIÓN

El primer digestivo de tequila, cuya graduación alcohólica es de 50% alc/vol. Los expertos reconocen este tequila blanco por su seco sabor y aspecto cristalino. Se prepara con extracto 100% de agave azul, sin diluir y es reposado bajo un procedimiento secreto. Para evitar que se le confunda con un tequila blanco usual, se le agregó la submarca Arfor. Su elaboración sigue la de las más finas *eaux de vie* europeas. Los tonos gris y negro de su botella evocan su fuerza y exquisitez. Sólo se encuentra en México y cada año se producen 10 000 botellas.

The first after-dinner digestive tequila, with 50% Alc. Vol. (100 proof). Experts praise this blanco tequila for its dry flavor and clear appearance. Using a secret process, it is made from the undiluted extract of pure 100% blue agave, and then aged. To avoid confusion with regular blanco tequila, the name Arfor was added. Its production process is similar to that of the finest European eaux de vie. The black and gray tones of the bottle reflect its strength and exquisite flavor. It is only available in Mexico, and its annual production reaches 10 000 bottles.

MILEMIGLIA, S.A. DE C.V.

Schiller 417, Colonia Chapultepec Morales, 11570, México, D.F.
Tel. (5) 203 7836 / Fax (5) 545 2122
Internet http://www.m3w3.com.mx/TequilaRevolución

ARROYO NEGRO

Como una nueva opción para los conocedores del buen tequila surge Arroyo Negro. Su fundador, el señor Sergio Goyri, cuida personalmente su elaboración. Su distinguida calidad, brillante aspecto y suavidad confirman que está hecho 100% de agave azul; se envasa de origen. La botella fue diseñada por artesanos mexicanos que buscaron que su forma rompiera con lo hasta hoy conocido y permitiera un mejor manejo. Se ofrece como blanco y reposado de seis meses. Arroyo Negro se exporta a los estados de Texas y California.

Arroyo Negro has emerged as a new choice for those familiar with fine tequila. Its founder, Sergio Goyri, personally oversees its production. The smoothness, sparkling appearance and distinguished quality of this tequila, bottled on-site, confirm that it is a 100% blue agave product. The bottle design is the work of Mexican artisans who aimed to provide it with an original form that would permit easier handling. It is available as a blanco and a six-month reposado. Arroyo Negro is sold in California and Texas.

CAVA DEL SEÑOR, S.A. DE C.V.

Camino Maninal 146, Santo Tomás Ajusco,
14710, México, D.F. · Tel. / Fax (5) 846 2406

ARTILLERO

En la región de Tequila, Jalisco se envasa de origen Artillero, cuyo sabor auténtico sólo los paladares más exigentes identifican. Elaborado 100% de agave azul, reposa en barricas de roble blanco durante seis meses. Su botella evoca los cañones que defendieron los fuertes durante la Colonia. Su aspecto cristalino, suave sabor y carácter afrutado son resultado de la cuidadosa elaboración a cargo de su creadora, la familia Hernández. Europa no está exenta de la calidad de este tequila, pues se exporta a Francia.

Only the most distinguishing palates can identify Artillero's authentic taste, bottled on-site in the region of Tequila, Jalisco. This 100% blue agave tequila is stored six months in white oak barrels. The bottle's form is reminiscent of the cannons that defended forts during the colonial era. The crystal clarity, smooth flavor and fruity character of this tequila are the result of a careful production process carried out by its creators, the Hernández family. Europeans also have the privilege of enjoying Artillero's quality as it is exported to France.

LA COFRADÍA, S.A. DE C.V.

Calle La Cofradía s/n, 46400, Tequila, Jalisco • Tel. (3) 673 2443 / Fax (3) 673 2492
Email cofradia@mpsnet.com.mx

CABALLO NEGRO

Don Eucario González creó este tequila 100% de agave, con el brío tradicional de la casa, para los paladares exigentes que están acostumbrados a disfrutar productos de calidad y fineza. Su elaboración es natural, pues no se le agrega ningún químico ni endulzante artificial. El clásico diseño de su botella deja ver sus brillantes burbujas. El atractivo diseño de la etiqueta muestra la silueta de un caballo negro cuyo brío asemeja la pureza de esta bebida. Actualmente se encuentra sólo en México; muy pronto lo habrá en mercados de Estados Unidos, Centro y Sudamérica, Asia y Europa.

Eucario González created this 100% agave tequila for demanding consumers who are accustomed to enjoying fine quality products. Caballo Negro has the spirited personality typical to this company's products, and is manufactured naturally, without any added chemicals or artificial sweeteners. The bottle's classic design shows off the sparkling bubbles of a fine tequila. The attractive label bears the silhouette of a black horse to symbolize the spirit of this pure tequila. This brand is currently only sold in Mexico, but will soon be released on US, South and Central American and Asian markets.

TEQUILA EUCARIO GONZÁLEZ, S.A. DE C.V.

Plazuela del Himno Nacional 5-A, 46400, Tequila, Jalisco
Tel. (374) 201 78 204 46 204 70 / Fax (374) 204 83

CANICAS

Este tequila, de elaboración total-
mente artesanal, es originario de Irapuato, Guanajuato, una de las regiones que la ley de denomi-
nación de origen reconoce
como productora de tequi-
la. Su pureza —100% de agave azul—, su reposo de seis
meses, su brillantez, suavidad y fina calidad son una
prueba del cuidadoso pro-
ceso que guarda. Como
toque de originalidad,
en el interior de su
botella de vidrio so-
plado varias canicas,
tradicionales jugue-
tes mexicanos, simu-
lan bellamente las
burbujas de un te-
quila puro. Canicas
se exporta a Estados
Unidos.

*This tequila is elaborated accord-
ing to time-honored methods in Irapuato, Guanajuato, which is one of
the recognized tequila-production regions according to
Mexican appellation of origin laws. Its 100% blue agave
purity and six-month storage,
and its sparkle, refined quality and smoothness, are clear
proof of the painstaking labor that goes into its fab-
rication. The traditional
Mexican marbles (ca-
nicas) inside its blown-
glass bottle provide a
beautiful simulation of
the bubbles that char-
acterize a pure tequila
—and add a touch of
originality. Canicas is
currently exported to
the United States.*

DESTILADORA CANICAS, S.A. DE C.V.

*Andrés López 724, Colonia Moderna, 36690, Irapuato, Guanajuato
Tel. / Fax (0052) (462) 680 87 • Email tequilacanicas@altavista.net*

CASA NOBLE

Se trata de un tequila de óptima calidad para quienes aprecian lo auténtico y genuino. Su brillante aspecto y su suavidad son muestra del extremo cuidado con que se elabora, seleccionando el mejor *Agave azul Tequilana Weber*. Reposa plácidamente en barricas de roble blanco, donde adquiere un sabor definido, con personalidad y amable al gusto. Su presentación en una exquisita licorera de porcelana hecha a mano, numerada, con insertos de *pewter* y bruñidos azules, da fe de la creatividad de nuestros artesanos. Su producción anual, de 50 000 botellas, se vende en sitios exclusivos de México y Estados Unidos. Pronto se exportará a Chile, Argentina, Brasil, Japón, Taiwán y Francia.

This is a first-class product for anyone who appreciates truly authentic tequila. Its sparkling appearance and smoothness are proof of the care that goes into its elaboration, beginning with the selection of the finest Agave tequilana Weber, blue variety. Stored undisturbed in white oak barrels, it acquires a very distinct flavor with personality and pleasant to the taste. Its presentation in an exquisite hand-crafted and individually numbered porcelain decanter with inlays of pewter and polished blue ceramic attests to the great creativity of Mexican artisans. Its annual production of 50 000 bottles can be found at exclusive shops in Mexico and the US. It will soon be exported to Brazil, Argentina, Chile, France, Taiwan and Japan.

EXCELENCIA EXPORTS, S.A. DE C.V.

Manuel Acuña 2674-203, 44640, Guadalajara, Jalisco
Tel. (3) 642 2615 / Fax (3) 642 2612 • Email casanoble@webmex.net

CAZADORES

Arandas, Jalisco, tierra de nobles tradiciones, es la cuna de este tequila fundado por don Félix Bañuelos en 1972. Cazadores es 100% de *Agave azul tequilana Weber* y se destila en un solo tipo: Reposado. Su elaboración sigue una tradición de siglos y, al combinarse con la tecnología de punta, da como resultado una bebida de cuerpo generoso, aspecto brillante y suave sabor. Su excelente calidad está respaldada por un proceso realizado con el mayor cuidado y los más altos controles tecnológicos y humanos. Actualmente se producen en promedio 40 000 litros diarios, de los cuales el 5% se destina a los mercados de exportación. Como valor agregado, utiliza un tapón inviolable de alta seguridad que garantiza su autenticidad.

Arandas, Jalisco, a land of noble traditions, is where this tequila had its origin, founded by Félix Bañuelos in 1972. Cazadores is produced 100% from Agave tequilana Weber, blue variety and is elaborated in a single style: Reposado. It is manufactured according to centuries-old traditions that, in combination with the latest technology, produce this liquor with a generous body, smooth flavor and sparkling appearance. Its quality is assured by the extreme care taken in its production, carried out under strict manual and technical controls. At present, an average of 40 000 liters are produced every day, five percent of which is exported. As an added feature, the inviolable high-security stopper on the bottle is a guarantee of the authenticity of the contents.

TEQUILA CAZADORES, S.A. DE C.V.

Callejón del Camichín 80, Santa Anita, 45600 Jalisco
Tel. / Fax (3) 686 4600

CHINACO

Esta bebida se exporta a Estados Unidos desde 1983 como el primer tequila *super-premium*, 100% de agave azul. Los chinacos fueron los más notables y famosos combatientes en la historia de México independiente. En remembranza de su valentía, gallardía y gran habilidad como jinetes, hoy reconocible en los charros, se nombró a este tequila, elaborado con agaves del centro-sur de Tamaulipas, región incluida en la norma mexicana de denominación de origen como productora de tequila. Su botella semeja las vasijas usadas por los españoles durante la Colonia. Se presenta como blanco, reposado de 11 meses y añejo de 30 meses. Se exporta también a Canadá, Luxemburgo, Alemania, Inglaterra, Bélgica, Holanda, Francia, India y Japón.

Chinaco was the first super-premium 100% blue agave tequila in the United States, exported there since 1983. The Chinacos were the most notable and celebrated troops to be active in Mexico since its independence. This tequila was named in honor of their bravery, gallantry and horsemanship, traits that are seen in present-day charros. It is made from agaves grown in south-central Tamaulipas, which the Mexican appellation of origin standards recognize as a tequila-producing region. The bottle is reminiscent of flasks used by the Spaniards during the colonial era. Its styles are blanco, 11-month reposado and añejo aged 30 months. Also exported to Canada, Luxembourg, Germany, England, Holland, France, Belgium, India and Japan.

TEQUILERA LA GONZALEÑA, S.A. DE C.V.

Ejército Nacional 404-104, Colonia Polanco, 11570, México, D.F.
Tel. (5) 531 5959 / Fax (5) 531 8826 • Internet http://www.realtequila.com.chinaco

COMALTECO

Comala —el pueblo blanco de América— es el lugar ideal para disfrutar de la gastronomía del estado de Colima. La algarabía de sus portales, así como la música del mariachi y la banda ofrecen el ambiente ideal para saborear Comalteco. Su fina calidad y suavidad son el orgullo de sus fundadores, el señor Carlos César Romero Moreno y La Cofradía. Lo hay en varios tipos: blanco, joven, reposado y añejo de un año. Este último se ofrece en una botella de vidrio soplado azul, con etiqueta de lámina repujada, tapón de madera y corcho; se presenta en una caja rústica de madera.

Comala—the "white town of America"—is the perfect place to sample local delicacies from the state of Colima. The hubbub of its plaza's shaded walks and the mariachi and band music also create the ideal ambience for savoring Comalteco tequila. Its fine quality and smoothness are the pride of founders Carlos César Romero Moreno and La Cofradía. It is available as blanco, joven, reposado and an añejo aged for one year. The latter is sold in a blue blown-glass bottle, with an embossed metal label and a cork-and-wood stopper. It is presented in a rustic wooden box.

CARLOS CÉSAR ROMERO MORENO

Constitución 27, 28450, Comala, Colima
Tel. (331) 552 88 / Fax (331) 550 53

CORRALEJO

El origen de este tequila es muy significativo, ya que nació en el mismo lugar que Miguel Hidalgo: la hacienda Corralejo, en Pénjamo, Guanajuato. Su botella, de apariencia antigua, tiene grabados dos escudos; uno muestra la firma de Hidalgo, el padre de la patria, y otro representa la Independencia de México. Las burbujas atrapadas en el vidrio acentúan la impresión de añejamiento y enfatizan su belleza artesanal. Su reposo en barricas de roble blanco, encino y *limousine* francés le dan un toque distintivo. La doble destilación en alambiques de cobre hace que su suavidad alcance un tono aterciopelado. Los tipos de esta marca son blanco y reposado. Se exporta a Estados Unidos.

The origin of this tequila has a significant place in Mexican history, as it was the birthplace of Miguel Hidalgo, the founding father of Mexico: Hacienda Corralejo in Pénjamo, Guanajuato. The bottle of antique appearance has two engraved crests: one with Hidalgo's signature and the other representing Independence. Bubbles trapped within the glass itself accentuate the impression of age and enhance the bottle's artisanal beauty. A distinctive touch is provided by its storage in barrels of white oak, holm oak and French limousine. Its double distillation in copper stills gives a velvety tone to its smoothness. Corralejo is sold in blanco or reposado styles and is exported to the US.

TEQUILERA CORRALEJO, S.A. DE C.V.

Oficinas en la ciudad de México/Mexico City Offices
Tel. (5) 877 0203 / Fax (5) 877 0334

DE LOS DORADOS

Su nombre evoca a los Dorados de Pancho Villa, la temible escolta que el "Centauro del Norte" seleccionaba personalmente y a la cual era un privilegio pertenecer. Por su calidad con raza y su bronco sabor es una selección perfecta para quienes gustan de probar exóticos cocteles como la Margarita. En 1994 se creó el tipo joven abocado, que ha tenido una excelente aceptación y, desde 1997, se envasa De los Dorados blanco. Produce anualmente 250 000 botellas, ilustradas con la tropa villista y un orificio de bala. Se exporta a Estados Unidos, Bolivia, Colombia, Italia, Inglaterra, Francia, Malasia y Vietnam.

This tequila invokes the image of Los Dorados, the notorious and élite armed guard whose members were handpicked by none other than the Centaur of the North: Pancho Villa. Its purebred quality and robust flavor make it the perfect tequila for those fond of exotic cocktails like margaritas. The joven abocado style was launched in 1994 and has since become extremely popular. A blanco was introduced in 1997. Its bottle's label bears a bullethole and a picture of Villa's troops. Annual production is 250 000 bottles. It is exported to the United States, Colombia, Bolivia, France, Italy, England, Malaysia and Vietnam.

LA COFRADÍA, S.A. DE C.V.

*Calle de La Cofradía s/n, 46400, Tequila, Jalisco • Tel. (3) 673 2443
Fax (3) 673 2492 • Email cofradia@mpsnet.como.mx*

DEL TERRAJAL

Este tequila hace honor a la generosa tierra de Jalisco, donde crecen y maduran los mejores agaves. Sus fundadores —cuatro familias con profundas raíces jaliscienses— están comprometidos a ofrecer un tequila entero y natural. El diseño artesanal de la botella evoca años de sol y lluvia, de paciente espera y añeja sabiduría. Del Terrajal puede degustarse en sus tipos blanco, reposado y añejo. Su distinguida calidad ya es disfrutada por los más exigentes paladares en Estados Unidos. Próximamente lo habrá también en Oriente, Europa, y el resto de América.

This tequila pays homage to the bountiful land of Jalisco, where the finest agaves grow and mature. The founders of this brand are four families with a long tradition in Jalisco and a committment to producing an integral and natural tequila. The design and craftsmanship of its bottle evoke years of sun and rain, patient waiting and the wisdom of experience. The distinguished quality of its blanco, reposado and añejo styles is now enjoyed by demanding consumers in the US and will soon be available in Asia, Europe and the rest of the Americas.

DINCEX DE JALISCO, S.A. DE C.V.

Av. Mariano Otero 2390-102, Colonia Jardines del Bosque, 44520, Guadalajara, Jalisco
Tel. (3) 122 7059 / Fax (3) 121 6892

DON JULIO

Una leyenda es lo que don Julio González comparte al invitarnos a degustar la pureza de esta bebida extraída de los agaves de Atotonilco el Alto que, por su elevado contenido de azúcar, ofrece un tequila de especial suavidad y fineza. Reposa en barricas de roble blanco durante ocho meses y se envasa en una botella de bello diseño artesanal. Originalmente se destinaba sólo a familiares y amigos, pero ahora se ofrece al público en tres presentaciones: blanco y reposado así como Don Julio Real (añejo). Esta casa, fundada en 1942, tiene también Tres Magueyes Reposado y Tres Magueyes Blanco. Este tequila, 100% de agave, se exporta a 35 países en América, Asia y Europa. Se recomienda beberse solo.

Don Julio González shares a legend with us when we partake of this pure liquor extracted from the agaves of Atotonilco el Alto. This tequila's high sugar content gives it an especially smooth, refined character. It is stored eight months in white oak barrels and sold in an attractive bottle of artisanal design. Initially produced for the exclusive consumption of friends and family, it is now available to the public in its three presentations: blanco, reposado and the añejo Don Julio Real. This company, founded in 1942, also produces Tres Magueyes Reposado and Tres Magueyes Blanco. Don Julio is a 100% agave tequila that is best served neat. It is exported to thirty-five countries in America, Europe and Asia.

TEQUILA TRES MAGUEYES, S.A. DE C.V.

Porfirio Díaz 17, 47750, Atotonilco el Alto, Jalisco
Tel. (391) 708 79 / Fax (391) 703 66 • Email ramruelas@infosel.net.mx

DON TACHO

Los paladares más exigentes pueden constatar la pureza de Don Tacho, tequila 100% de *Agave azul tequilana Weber*. Su fundador, don Tacho Ansotegui, cuida personalmente la siembra y cosecha de excelentes agaves en las tierras del Valle de Arenal, Jalisco. La fineza y la suavidad de este tequila también se deben a su elaboración tradicional y a su doble destilación en alambiques de cobre. Su reposo durante nueve meses le otorga un exclusivo sabor con aroma de madera, mientras que su pureza garantiza la ausencia de la llamada "cruda". Envasado en una hermosa botella color ámbar, se exporta a Centroamérica y Estados Unidos.

The most demanding palates will be delighted with the purity of this tequila made from 100% Agave tequilana Weber, blue variety. Its founder, Tacho Ansotegui (Don Tacho), personally oversees the planting and harvesting of excellent agaves in the fields of Valle de Arenal, Jalisco. The refined quality and smoothness of this tequila can also be attributed to its traditional elaboration methods and to its double distillation in copper stills. A nine-month storage period imparts an unusual wood-tinged flavor to the tequila, while its purity is a surefire guarantee against the so-called "hangover." This tequila comes in a beautiful ambar-colored bottle. It is exported to Central America and to the United States.

PANAMERICANA ABARROTERA, S.A. DE C.V.

Lago Athabaska 164, Colonia Huichapan Tacuba, 11290, México, D.F.
Tel. (5) 399 5390 con 12 líneas/with 12 lines / Fax (5) 399 1476
3Internet http://www.pasa.com.mx

EL JIMADOR

La suavidad y la singular finura de este tequila reposado han conquistado paladares exigentes en todo el mundo desde su aparición en 1994. El reposo, realizado pacientemente a lo largo de tres meses en barricas de roble blanco, le imprime una personalidad inconfundible, característica de la Casa Herradura. La calidad de El Jimador reposado rinde un merecido reconocimiento al maestro de campo que se encarga de seleccionar los mejores agaves para la Casa Herradura.

This tequila's smoothness and its singularly refined flavor have been winning over demanding consumers around the world since its appearance on the market in 1994. It is patiently stored for three months in white oak barrels, giving it the distinctive personality typical to Herradura's products. The quality of El Jimador reposado pays a well-deserved tribute to the expert fieldworkers who have the responsibility of selecting the best agaves for the Herradura company.

TEQUILA HERRADURA, S.A. DE C.V.

Av. 16 de Septiembre 635, Zona Centro, 44180, Guadalajara, Jalisco
Tel. (3) 614 0400 / Fax (3) 614 0175
Email herraduraventas@infosel.net.mx

EUCARIO GONZÁLEZ

Este producto se deriva de los mejores agaves de Tequila, Jalisco. Su elaboración sigue la notable tradición de su casa productora, fundada en 1904. Esta experiencia, que se aproxima al siglo, garantiza que el proceso dé como resultado un tequila 100% de agave azul de gran pureza. El suave y amaderado sabor que lo distingue se debe al reposo de cuatro meses que disfrutó en barricas de roble blanco. Su calidad puede degustarse en México, Estados Unidos, Canadá y Europa.

This liquor is derived from the best agave plants of Tequila, Jalisco and is manufactured according to the traditional methods used by its producer since the company's foundation in 1904. After close to a century of experience, this process is guaranteed to result in a 100% blue agave tequila of extreme purity. Its characteristic smooth, woody flavor is due to the four months it is stored in white oak barrels. Eucario's quality can be enjoyed in Mexico, as well as in the US, Canada and Europe.

TEQUILA EUCARIO GONZÁLEZ, S.A. DE C.V.

Plazuela del Himno Nacional 5-A, 46400, Tequila, Jalisco
Tel. (374) 201 78 204 46 204 70 / Fax (374) 204 83

FARIAS

Al cumplirse el centenario de la marca Farias, los herederos de esta gran tradición —Ricardo Farias I, II y III— decidieron celebrar ese evento tan especial con la elaboración y destilación de un tequila, a la usanza antigua. Tequila Farias es elaborado con extractos 100% de agave azul de la región de Jalisco y es reposado en barricas de roble blanco durante un largo tiempo. Se embotella en un barril diseñado especialmente, lo que garantiza su calidad y preservación de su suave sabor así como su excelente *bouquet*. Estas cualidades son apreciadas por paladares exigentes y conocedores.

*T*o celebrate the hundredth anniversary of the Farias trademark, the heirs of this great tradition—Ricardo Farias I, II and III—decided to initiate the production and distillation of a new tequila, manufactured according to time-honored methods. Tequila Farias is elaborated using extracts of 100% blue agave—the very best grown in Jalisco—and then stored for a lengthy period in white oak barrels. Its practical bottle, in the form of a barrel, is designed to guarantee the quality and preservation of its excellent bouquet and smooth flavor, attributes recognized by demanding, knowledgeable consumers.

DESTILERÍA FARIAS, S.A. DE C.V.

General Mariano Arista 54-53, Colonia Argentina, 11230, México, D.F.
Tel. (525) 527 4400 / Fax (525) 527 1858
Email tequila@df1.telmex.net.mx / tequila@mex1.uninet.net.mx

GALARDÓN

Tequila Galardón Gran Reposado, de reciente lanzamiento, enaltece los mejores estándares de calidad de los productos elaborados en la hacienda La Perseverancia. Se elabora con cosechas especialmente seleccionadas de los mejores agaves. Es envasado y etiquetado de origen bajo un proceso manual en botellas numeradas. Su suave sabor permite apreciar un tequila 100% de agave mientras que su aroma equilibrado resulta del paciente reposo de diez a 12 meses en las más finas maderas. Es ideal para tomarse solo como aperitivo o digestivo.

The recently debuted Tequila Galardón Gran Reposado represents the highest quality standards of the products manufactured at Hacienda La Perseverancia. Specially chosen harvests of the finest agaves form the basis for this tequila. Bottling and labeling is carried out by hand on-site, and each bottle is individually numbered. This tequila's smooth flavor identifies it as 100% agave, and its balanced aroma is the result of a patient 10- to 12-month period of storage in fine wood barrels. Ideally suited to serving neat as an aperitif or digestive.

TEQUILA SAUZA, S.A. DE C.V.

Av. Vallarta 3273, Colonia Vallarta Poniente, 44100, Guadalajara, Jalisco
Tel. (3) 679 0600 / Fax (3) 679 0690

GARCÍA

Al fundar la destilería Río de Plata —ahora llamada Tequilas del Señor— don César García inició una tradición tequilera que ha sido continuada por las nuevas generaciones. En 1943 se creó en su honor esta marca. Joven, ligeramente madurado en barricas, García tiene un brillante aspecto y un sabor seco y agradable. La distinguida calidad de sus dos presentaciones, blanco y reposado, se degusta en Estados Unidos e Inglaterra.

With the founding of the Río de Plata distillery, now Tequilas del Señor, César García initiated a tradition in tequila production that has been carried on by later generations. This brand was created in 1943 in his honor. A young tequila, lightly matured in barrels, it has a sparkling appearance and a dry, pleasant flavor. The distinguished quality of its blanco and reposado styles are enjoyed in the US and England.

TEQUILAS DEL SEÑOR, S.A. DE C.V.

Río Tuito 1191-1193, Colonia Atlas, 44870, Guadalajara, Jalisco
Tel. (3) 657 7877 / Fax (3) 657 2936

GOYRI

Éste es un tequila añejo, suave y fino que invita a tomarse solo. Su cuidadosa elaboración inicia con la selección de los mejores agaves, continúa con un lento cocimiento en hornos de mampostería y concluye con un reposo de 24 meses en barricas de roble blanco. El señor Sergio Goyri decidió crearlo tras observar cómo se mezclan nuestra cultura y el tequila. Artesanos mexicanos crearon la botella —presentada en una caja de madera con insertos de hierro forjado— que simboliza el sincretismo de dos culturas: la mexicana y la española. Su producción, limitada y exclusiva, se exporta a Texas y a California.

This refined, smooth añejo tequila needs no accompaniment. Its careful production begins with the selection of the best agaves and their slow cooking in rubblework ovens, and concludes with a two-year-long aging period in white oak barrels. Its founder Sergio Goyri was inspired to create this brand after observing the inextricable ties between Mexican culture and tequila. Mexican artisans envisioned the bottle's design to symbolize the syncretism of the Spanish and Mexican cultures. It comes in a wooden box with appliqués of forged iron. Its annual production is limited and exclusive. It is exported to California and Texas.

CAVA DEL SEÑOR, S.A. DE C.V.

Camino Viejo Maninal 146, Santo Tomás Ajusco
14710, México, D.F. • Tel. / Fax (5) 846 2406

GRAN CENTENARIO

Desde hace más de 140 años en la Hacienda Los Camichines, ubicada en los Altos de Jalisco, una larga tradición ha motivado a los maestros tequileros a preparar con orgullo este tequila. En las recientes catas organizadas por el Grupo Enológico Mexicano —las primeras realizadas entre los tequilas reposados— Gran Centenario ocupó el primer lugar con 15.88/20. En esa región, cuya tierra colorada es ideal para el cultivo del mejor *Agave azul tequilana Weber,* el maestro tequilero Lázaro Gallardo —fundador de Los Camichines en 1857— descubrió el secreto para obtener este preciado líquido. El tiempo, el tipo de barrica y la experiencia son los principales responsables en la creación de los aromas y sabores que caracterizan a estos productos *premium*: Gran Centenario Plata, Reposado, Añejo, Gran Centenario Reserva del Tequilero y Gran Centenario Azul. Todos ellos siguen una producción artesanal y, finalmente, se someten a un proceso llamado "selección suave", el cual fue creado por el maestro Gallardo para brindar al tequila un perfecto balance entre suavidad y sabor.

*F*or over 140 years, the long tradition of quality at Hacienda Los Camachines in Los Altos, Jalisco has motivated its workers to manufacture this tequila with pride. At recent tastings held by the Mexican Enology Group —the first ever for reposado tequilas— Gran Centenario won first place with a rating of 15.88/20. It was in that area of Jalisco, whose red soil is ideal for cultivating Agave tequilana Weber, blue variety, that Lázaro Gallardo—master of tequila distillation and the founder of Los Camachines in 1857—discovered the secret to extracting the precious liquid. Time, experience and the type of barrel are the keys to these premium products: Gran Centenario Plata, Reposado, Añejo; Gran Centenario Reserva del Tequilero and Gran Centenario Azul. All of them are craft-elaborated and undergo a so-called "smooth selection" process that was invented by Maestro Gallardo to give these tequilas a perfect balance between smoothness and flavor.

FÁBRICA LOS CAMICHINES

Reforma 100, 45430, La Laja, Jalisco, México
Tel. (5) 625 4000 / Fax (5) 657 4438

GRAN CENTENARIO
RESERVA DEL TEQUILERO

Este tequila de edición limitada representa el secreto mejor guardado en los Altos de Jalisco. Después de una doble destilación, únicamente el corazón de ésta se deja añejar en barricas de roble blanco francés. Al ser utilizadas por primera vez, las barricas le otorgan a esta bebida el equilibrio perfecto para obtener un tequila suave, de cuerpo aterciopelado. Gran Centenario Reserva del Tequilero ofrece al paladar una exquisita gama de frutas y especias exóticas como la canela, la almendra y la vainilla, otorgándole un agradable sabor ligeramente dulce.

This limited-edition tequila is one of the best-kept secrets of the Los Altos region of Jalisco. Following a double-distillation, only the highest quality spirit is left to age in French white oak barrels. Given that these barrels are new and unused, the tequila acquires the perfect balance needed to produce a smooth liquor with a velvety body. On the palate, Gran Centenario Reserva del Tequilero offers up an exquisite combination of fruity and exotic spicy tastes, including cinnamon, almond and vanilla. The resulting flavor is pleasant and slightly sweet.

FÁBRICA LOS CAMICHINES

Reforma 100, 45430, La Laja, Jalisco, México
Tel. (5) 625 4000 / Fax (5) 657 4438

GRAN CENTENARIO AZUL
GRAN RESERVA

En esta bebida se conjugan las virtudes indispensables para la elaboración artesanal del buen tequila. El proceso finaliza con la mezcla excepcional de los tequilas más añejos y finos de la cava personal de la familia. La producción es meticulosamente supervisada, por lo que no debe extrañar su limitada existencia. El color dorado profundo de este tequila y sus aromas extraordinarios se derivan del largo contacto con la fina madera en que tranquilamente descansa. Degustarlo es disfrutar de una ancestral tradición que ahora se comparte con el mundo. Se presenta en una elegante y artística botella de cerámica azul.

This beverage results from the interplay of all those virtues characterizing a fine, craft-elaborated tequila. The process culminates with the exceptional blending of the finest vintage tequilas from the family's private stock. Its manufacture is supervised with utmost care, so its limited availability should come as no surprise. The deep golden color of this tequila and its exquisite bouquet are due to its lengthy contact with the fine wood of the barrels where it rests undisturbed. To taste it is to benefit from an ancestral tradition that is now being shared with the world. It is presented in an elegant and aesthetic blue ceramic bottle.

FÁBRICA LOS CAMICHINES

Reforma 100, La Laja, 45430, Jalisco, México
Tel. (5) 625 4000 / Fax (5) 657 4438

HERENCIA DE PLATA

Don Manuel García, fundador de este tequila, lo nombró así para conmemorar las bodas de sus hijos. Su pureza, 100% de agave azul, y su elaboración tradicional —lograda con un sereno reposo en barricas de roble blanco— crean el sabor único de la brava y roja tierra de los Altos de Jalisco. Las botellas de vidrio soplado cuentan con una original etiqueta impresa en serigrafía; en el interior de cada una brilla el origen, la herencia de plata. Desde junio de 1997 podemos disfrutar en México de su fina calidad, brillante aspecto y suave sabor; características que ya comienzan a conocerse en otros países. Lo hay en tres tipos: blanco, añejo y reposado.

Manuel García, the founder of this tequila, chose its name to commemorate the weddings of his children. Its 100% blue agave purity and traditional elaboration methods, including its peaceful storage in white oak barrels, create the inimitable flavor of the fierce red earth of Los Altos in Jalisco. The blown-glass bottle with its original silkscreened label is a fitting container for the shining "silver legacy" that gave this tequila its name. Its refined quality, sparkling appearance and smooth taste have been enjoyed in Mexico since June 1997, and are beginning to make a name for this tequila in other nations. It is available as a blanco, a reposado or an añejo.

TEQUILAS DEL SEÑOR, S.A. DE C.V.

Río Tuito 1191-1192, Colonia Atlas, 44870, Guadalajara, Jalisco
Tel. (3) 657 7877 / Fax (3) 657 2936

HERRADURA ANTIGUO

Auténtica réplica del tequila Herradura de 1924. Éste era el tequila que tomaban exclusivamente los patrones de la casa grande en la hacienda de San José del Refugio, donde Herradura nació. En un principio, este tequila no estaba a disposición del público. Sin embargo, en la actualidad, Herradura lo reproduce con fidelidad, según la receta guardada por decenas de años.

This is a genuine reproduction of the Herradura tequila of 1924 that was served exclusively to the lords of the manor at the Hacienda de San José del Refugio, where Herradura originated. It was not available to the general public back then, but today, Herradura offers an exact re-creation made according to the original formula that was held in safekeeping for decades.

TEQUILA HERRADURA, S.A. DE C.V.

Av. 16 de Septiembre 635, Zona Centro, 44180, Guadalajara, Jalisco
Tel. (3) 614 0400 / Fax (3) 614 0175
Email herraduraventas@infosel.net.mx

HERRADURA AÑEJO

Este tequila, creado en 1962, rememora la belleza de la vieja destilería de la hacienda de San José del Refugio; remembranza del antiguo proceso de destilación y elaboración de esa bebida. Herradura Añejo ofrece un suave sabor, logrado por el largo reposo durante 30 meses en barricas de roble blanco. Su aspecto cristalino es prueba de su pureza y de su cuidadosa preparación. Este tequila de distinción se encuentra en tres continentes: América, Europa y Asia.

Created in 1962, this tequila recalls the beauty of the old distillery of the Hacienda de San José del Refugio, a monument to the traditional elaboration and distillation process of tequila. Herradura Añejo acquires its smooth taste over a thirty-month aging period in white oak barrels. Its crystal clarity attests to its purity and to the painstaking care that goes into its manufacture. This tequila of distinction is available in North and South America, Europe and Asia.

TEQUILA HERRADURA, S.A. DE C.V.

*Av. 16 de Septiembre 635, Zona Centro, 44180, Guadalajara, Jalisco
Tel. (3) 614 0400 / Fax (3) 614 0175
Email herraduraventas@infosel.net.mx*

HERRADURA BLANCO

Este tequila es el más antiguo de la familia Herradura, pues nació en 1870 en una de las regiones tequileras más fértiles de Jalisco: Amatitán. Su presencia en algunas de las más célebres películas de la época de oro del cine mexicano da cuenta de su gran tradición y arraigo en nuestra cultura. A su graduación de 46° se debe su bronco sabor y potente aroma que, junto con su cristalino color, conforman su personalidad. Hecho de agave puro a la antigua usanza, Herradura Blanco es sólo para conocedores. Hace 50 años fue dado a conocer en Estados Unidos gracias a dos célebres personajes: Bing Crosby y Phil Harris, quienes lo tomaban siempre.

This is the oldest tequila in the Herradura family, having originated in 1870 in Amatitán, one of Jalisco's most fertile tequila-producing regions. Its appearance in some of the most celebrated movies from the golden age of Mexican film is testimony to its long tradition and deep roots in our culture. Its robust flavor and strong nose can be attributed to its alcohol content of forty-six percent; these attributes, along with its crystal clarity, make up its personality. This tequila, made from pure agave in the old style, is only for connoisseurs. It became known in the US some fifty years ago because of two celebrity fans of the brand: Bing Crosby and Phil Harris.

TEQUILA HERRADURA, S.A. DE C.V.

Av. 16 de Septiembre 635, Zona Centro, 44180, Guadalajara, Jalisco
Tel. (3) 614 0400 / Fax (3) 614 0175
Email herraduraventas@infosel.net.mx

HERRADURA BLANCO SUAVE

Amatitán, tierra privilegiada por un benigno clima, por la riqueza de su suelo y por el emprendedor espíritu de su gente, ha dado origen a una bebida que, desde 1975, se elabora en la hacienda de San José del Refugio. El reposo en las barricas durante 36 días es responsable de su excelente calidad, su aspecto cristalino y su agradable aroma. A pesar de ser un tequila blanco, su sabor es suave y su cuerpo generoso, lo que garantiza el deleite de los conocedores. Se exporta a 45 países.

Amatitán, a land blessed for its benign climate, the richness of its soil and the enterprising spirit of its inhabitants, gave rise to this liquor which has been distilled at the Hacienda de San José del Refugio since 1975. This tequila's excellent quality, crystal clarity and pleasant bouquet are the product of its thirty-six-day storage in barrels. Herradura Blanco Suave has a smooth flavor and full body, unusual features in a blanco tequila, and sure to delight any connoisseur. It is exported to forty-five countries.

TEQUILA HERRADURA, S.A. DE C.V.

Av. 16 de septiembre 635, Zona Centro, 44180, Guadalajara, Jalisco
Tel. (3) 614 0400 / Fax (3) 614 0175
Email herraduraventas@infosel.net.mx

HERRADURA REPOSADO

Éste es el primer reposado de los tequilas, el legendario Herradura que ha seducido a los conocedores de todo el mundo. Herradura Reposado logra un perfecto balance entre el agave y la madera, luego de 13 meses de paciente añejamiento. A este proceso se deben sus mejores características: calidad distinguida, aspecto cristalino y seco sabor. Quien lo pide sabe lo que toma.

This was the first reposado tequila ever produced: the legendary Herradura which has won over countless connoisseurs from around the world. After thirteen-months' storage, its flavor reaches a perfect balance between agave and wood. This process produces its best features: distinguished quality, dry taste and crystal clarity. This is a brand for those who know tequila.

TEQUILA HERRADURA, S.A. DE C.V.

Av. 16 de Septiembre 635, Zona Centro, 44180, Guadalajara, Jalisco
Tel. (3) 614 0400 / Fax (3) 614 0175
Email herraduraventas@infosel.net.mx

JALISCO ALEGRE

Elaborado con *Agave azul tequilana Weber,* cuidadosamente cultivado en las nobles tierras de los Altos de Jalisco, este tequila 100% de agave nació en 1997. El atractivo diseño de la botella deja ver la brillantez de este tequila, elaborado con un proceso tradicional. A los ocho años, el agave alcanza su plenitud y es responsable del agradable sabor así como del suave aroma de Jalisco Alegre. Sus fundadores presentan con orgullo esta bebida, resultado del trabajo de manos mexicanas y del reposo en finas barricas de roble blanco para que mexicanos y extranjeros digamos ¡salud!

This tequila, introduced in 1997, is manufactured from 100% Agave tequilana Weber, blue variety, painstakingly cultivated in the noble soil of Los Altos, Jalisco. The bottle's attractive design shows off the sparkling appearance of this brand, elaborated according to traditional methods. The agave reaches full maturity in eight years, giving Jalisco Alegre a pleasant flavor and mild bouquet. Its founders are proud to present this tequila made by Mexican hands and then stored in fine white oak barrels so Mexican and foreign connoisseurs can raise high their glasses and say cheers!

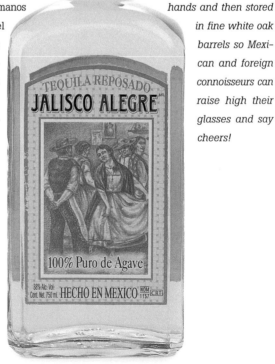

COMERCIALIZADORA INTERNACIONAL TEQUILERA, S.A. DE C.V.

5 de Mayo 119-A, Colonia Centro, 47750, Atotonilco el Alto, Jalisco
Tel. (48) 12 1752 / Fax (48) 14 4458

JOSÉ CUERVO AÑEJO

Casa Cuervo nos sorprende con su nueva presentación José Cuervo Añejo, tequila 100% de agave azul añejado en pequeñas barricas de roble blanco. Su exquisito sabor, así como su aroma muy amaderado resultan ideales para disfrutarse durante la celebración de un acontecimiento especial, ya sea antes o después de la comida.

The Casa Cuervo company takes us by surprise with its most recent presentation, José Cuervo Añejo, a 100% blue agave tequila aged in small white oak casks. Its exquisite flavor and its bouquet with a strong woody nose make it the ideal tequila for celebrating any kind of special occasion, whether as an aperitif or an after-dinner drink.

CASA CUERVO, S.A. DE C.V.

Av. Río Churubusco 213, Colonia Granjas México, 08400, México, D.F.
Tel. (5) 625 4000 / Fax (5) 657 4438

JOSÉ CUERVO ESPECIAL

Es el tequila más conocido y vendido en el mundo. A los asiduos a esta marca les gusta combinarla con refrescos de toronja, de cola o de naranja; también es el ingrediente principal de millones de margaritas servidas en todo el mundo. Su sabor suave, su aspecto brillante y su carácter moderado se deben al reposo en barricas de encino americano y roble. Con este tequila Casa Cuervo, impulsora de grandes avances tecnológicos en la industria, logra una importante presencia internacional. Un antiguo jimador de la Casa Cuervo revela el secreto de los agaves con que se elabora José Cuervo Especial: "Deben estar bien azules y sin plaga en la penca. Luego deben crecer rozagantes y bonitos".

This is the most popular and widely recognized tequila in the world. Fans of this brand enjoy it mixed with cola, orange or grapefruit soft drinks. It is also the key ingredient in millions of margaritas served the world over. Its mild character, smooth flavor and sparkling appearance are due to its period of storage in oak and American holm oak barrels. This tequila has allowed its producer Casa Cuervo, initiator of major technological advances in the industry, to achieve a strong international presence. A jimador at Casa Cuervo revealed the secret to the agaves used for José Cuervo Especial: "They must be very blue and the leaves free of disease. That way they will grow nice and strong."

CASA CUERVO, S.A. DE C.V.

Av. Río Churubusco 213, Colonia Granjas México, 08400, México, D.F.
Tel. (5) 625 4000 / Fax (5) 657 4438

JOSÉ CUERVO TRADICIONAL

Bien podríamos decir que este tequila fue un personaje central de la época de oro del cine mexicano (1940-1950). Junto con grandes personajes como Pedro Infante y Jorge Negrete, José Cuervo Tradicional protagonizó innumerables escenas de cantina. Bebida artesanal y auténtica, representa más de dos siglos de experiencia de José Cuervo, primer productor de tequila en el mundo. Esta bebida, 100% de agave azul, reposa en barricas de encino blanco durante aproximadamente ocho meses, lo que le confiere su color y aroma característicos. Al degustarlo congelado destacan gratamente sus atractivos que halagan el paladar.

We could well say that this tequila had a starring role in the golden age of Mexican film (1940-1950), appearing alongside such well-known actors as Pedro Infante and Jorge Negrete in countless cantina scenes. Craft-elaborated and genuine, it is the product of José Cuervo's more than two centuries of experience as the world's first tequila-manufacturer. José Cuervo Tradicional is made from 100% blue agave and stored in white holm oak barrels for approximately eight months, during which time it acquires its characteristic color and bouquet. It should be served ice-cold to bring out its qualities that are so pleasing to the palate.

CASA CUERVO, S.A. DE C.V.

Av. Río Churubusco 213, Colonia Granjas México, 08400, México, D.F.
Tel. (5) 625 4000 / Fax (5) 657 4438

LA CAVA DEL VILLANO

Esta marca, creada en 1996, evoca la estrecha identidad que existe entre el tequila y el mexicano, la cual se refleja en aquellas escenas fílmicas o literarias en las que el revolucionario bebe el fuerte licor en la oscuridad de las plazas pueblerinas o en los parajes de la sierra. La calidad con raza y el suave sabor de este tequila lo hacen atractivo para los jóvenes y para las mujeres. En su botella resaltan los colores del agave tequilero. Creada por la familia Hernández, esta bebida tiene dos presentaciones: blanco y reposado de dos meses. Se disfruta en Colombia, Bolivia, Estados Unidos, Italia y Francia.

Created in 1996, this brand evokes the strong ties that exist between tequila and Mexican culture, as reflected by classic scenes in novels and films in which the revolutionary hero drinks this strong liquor in dimly lit small-town plazas or in wild mountain settings. La Cava del Villano's purebred quality and smooth flavor will be appreciated by anyone who prefers a mild tequila. The bottle's label features the colors of the agave. Created by the Hernández family, this brand comes as a blanco or as a two-month reposado. It is exported to Colombia, Bolivia, the US, France and Italy.

LA COFRADÍA, S.A. DE C.V.

Distribuidor: Digran's, S. A. • Enrique Dunant 20, Colonia El Partidor, 54879, Cuautitlán de Romero Rubio, Edo. de México • Tel. (5) 872 4745 / Fax (5) 872 4856

LA COFRADÍA

Satisfacer los paladares más exigentes es una de las misiones de La Cofradía, casa con gran tradición que en 1995 heredó su nombre a este tequila 100% de agave. Son tres sus presentaciones: blanco, reposado de seis meses y añejo de 12 meses. Esta bebida pertenece a una reserva especial, cuyas botellas son firmadas por el dueño de la fábrica, el señor Carlos Hernández Hernández. Su botella fue diseñada para ser regalada en ocasiones especiales como bodas, Navidad, aniversarios, etcétera. Su calidad con raza puede apreciarse en Bolivia, Colombia, Estados Unidos, Inglaterra y Francia. Anualmente se producen 150 000 botellas.

Satisfying the most demanding of palates is one of the missions of La Cofradía, a company with a long tradition in the industry. In 1995, it introduced this 100% agave tequila which bears the company name. It comes from a special reserve and is available in three styles: triple-distilled blanco, six-month-old reposado and one-year añejo. The signature of the distillery's owner Carlos Hernández Hernández appears on its bottle, designed to be given on special occasions like weddings, anniversaries and Christmas. Its purebred quality is enjoyed in Colombia, Bolivia, the US, France and England. Annual production is 150 000 bottles.

LA COFRADÍA, S.A. DE C.V.

*Calle La Cofradía s/n, 46400, Tequila, Jalisco • Tel. (3) 673 2443
Fax (3) 673 2492 • Email cofradia@mpsnet.com.mx*

LA COFRADÍA FLOWER

Este tequila es conocido por su habilidad como reconciliador de matrimonios. Después de haber saboreado su delicioso contenido, el marido puede ofrecer la botella a su mujer —"Te traje un florero de regalo, mi amor"—, aunque, por supuesto, también pueden disfrutarlo juntos. El envase es una hermosa reproducción de la cerámica de Tonalá, lo que lo convierte en un hermoso recuerdo para los turistas. Este tequila es suave y cristalino, pues reposa durante seis meses en barricas de finas maderas. La Cofradía ofrece una producción anual de 35 000 botellas.

This tequila is known as a peacemaker for married couples. After savoring its delicious contents in the company of friends, the bottle makes the perfect gift for a husband to present to his wife on returning home: "I brought you a vase, dear." Of course, they can also enjoy the tequila together. The bottle is a beautiful reproduction of Tonalá ceramics, making it a wonderful souvenir for tourists too. La Cofradía Flower is aged for six months in fine wood barrels, which gives it a smooth flavor and clear appearance. Its production reaches a total of 35 000 bottles per year.

LA COFRADÍA, S.A. DE C.V.

Calle La Cofradía s/n, 46400, Tequila, Jalisco • Tel. (3) 673 2443
Fax (3) 673 2492 • Email cofradia@mpsnet.com.mx

LA COFRADÍA IGUANAS

Arte, naturaleza y tradición confluyen en este tequila cuyo principal destino son los lugares turísticos y los cruceros. Quienes visitan nuestra tierra pueden deleitarse con una bebida excelente, 100% de agave, y tener el gusto de conservar una bella jarra de Tonalá. Creada en 1997 en la región de Tequila, esta bebida reposa por seis meses en barricas de finas maderas, lo que garantiza su calidad con raza y su aspecto cristalino. Su producción anual es de 15 000 botellas.

Art, nature and tradition come together in this tequila, mainly found at tourist spots and on cruise ships. Visitors to Mexico can enjoy this excellent 100% agave liquor and then keep the decorative ceramic decanter, hand-crafted in Tonalá, Jalisco, as a memento. Created in 1997 in the region of Tequila, Jalisco, La Cofradía Iguanas is stored for six months in fine wood barrels, thus ensuring its purebred quality and its clear appearance. Its annual production reaches 15 000 bottles.

LA COFRADÍA, S.A. DE C.V.

*Calle La Cofradía s/n, 46400, Tequila, Jalisco • Tel. (3) 673 2443
Fax (3) 673 2492 • Email cofradia@mpsnet.com.mx*

LA MONTURA

Este tequila 100% de agave nació en 1998 en honor de nuestra tradición charra y está destinado a quienes gustan de un suave sabor y un delicioso aroma. La montura, una estampa muy mexicana, y el tequila, una bebida muy de esta tierra, simbolizan la raíz mestiza de nuestra cultura. La distinguida calidad y brillante apariencia de La Montura se disfruta en tres tipos: blanco, reposado y el galardonado añejo. Este último se envasa en una botella conmemorativa diseñada por escultores jaliscienses.

This 100% agave tequila was introduced in 1998 to honor the Mexican charro tradition, and is ideal for anyone who enjoys smooth flavor and a delicious bouquet. The name refers to the typically Mexican emblem of the saddle, which, like the truly national 'spirit' of tequila, is symbolic of our culture's mestizo roots. The distinguished quality and sparkling appearance of La Montura may be enjoyed in three styles: blanco, reposado and the prizewinning añejo. The latter is sold in a commemorative bottle designed by sculptors from Jalisco.

LA COFRADÍA, S.A. DE C.V.

Distribuidor: Rafael Victoria Magallanes • Calle 12-A 2052, Colonia Ferrocarriles
44440, Guadalajara, Jalisco • Tel. (3) 810 3310 / Fax (3) 810 3259
Email cofradia@mpsnet.com.mx

LA PERSEVERANCIA

Calidad, fidelidad, constancia y esmero son valores que distinguen a La Perseverancia, tequila elaborado en la antigua hacienda del mismo nombre, fundada en 1873, en Tequila, Jalisco. La excelencia de esta bebida es reconocida por los paladares selectivos y de buen gusto. Este tequila, de carácter moderado, tiene un sabor afrutado, en el que se reconoce su origen vegetal. El diseño de su botella semeja el corazón del agave, es de fácil manejo y su transparencia deja ver su singular tono. Por su calidad y suavidad, La Perseverancia resulta ideal para tomarse solo, ya sea en copa o en caballito.

Quality, loyalty, steadfastness and painstaking care are values that distinguish La Perseverancia, a tequila manufactured at the hacienda of the same name, established in Tequila, Jalisco in 1873. The excellence of this spirit will be recognized by discriminating palates. It has a mild character and a fruity flavor that reveals the vegetable origin of the beverage. The bottle's form recalls an agave heart, and allows for easy handling; its transparency shows off the characteristic color of this tequila. Its quality and smoothness make La Perseverancia ideal for serving neat in a goblet or caballito.

HACIENDA LA PERSEVERANCIA

Francisco Javier S. 80, 46400, Tequila, Jalisco
Tel. (374) 202 43 / Fax (3) 379 0692

LOS ARANGO

El *Agave azul tequilana Weber* da vida a este tequila *premium*, creado en 1997 y nombrado así en honor a Doroteo Arango, mejor conocido como Pancho Villa. Su botella azul, que simboliza la excelente calidad agavera, es notable ejemplo de nuestra artesanía. Se ofrece como blanco y reposado en presentaciones de 250, 700 y 3 000 mililitros, así como en una botella miniatura de 50 mililitros. Pronto se exportará a Estados Unidos, España y otros países europeos.

The secret behind this premium tequila is Agave tequilana Weber, blue variety. Los Arango, created in 1997, was named after Doroteo Arango, better known as revolutionary leader Pancho Villa. The blue glass bottle is a fine example of Mexican craftsmanship. Available in two styles, blanco and reposado, it comes in 250-, 700- or 3000-milliliter bottles and 50-milliliter miniature bottles. It is slated for export to the US, as well as to Spain and to other European countries.

TEQUILERA CORRALEJO, S.A. DE C.V.

Distribuidor: Centro Abarrotero, S.A. de C.V.
Puebla *(22) 32 3204 y 42 2011 / Fax (22) 46 2730* • Veracruz *(29) 38 2183*
México, D.F. *(5) 617 4430, 540 0770, 550 7049, 550 1217* • España *(34-987) 54 6101, 54 6167*
Email ferdt@pue1.telmex.net.mx • Internet http://www.tequila-losarango.com.mx

LOS AZULEJOS

La belleza de su botella en vidrio soplado con un fresco color azul cobalto fue inspirada en una pieza precolombina de la cultura mixteca. Su nombre da testimonio de que el tequila, como los azulejos de Talavera, son manifestaciones artesanales de nuestro pueblo. Su cuidadosa elaboración garantiza un sabor auténtico y una fina calidad con raza. 100% de agave azul, se envasa de origen en Tequila, Jalisco, en la planta La Cofradía. Tras una doble destilación se deja reposar de cuatro a seis meses en barricas de encino. Suave y puro, se degusta como añejo y reposado.

The beautiful design of its cobalt-blue blown-glass bottle was inspired by a pre-Columbian piece from the Mixtec culture. The name draws a link between tequila and Talavera ceramic tiles or azulejos—two products of Mexican craftsmanship. The careful elaboration methods guarantee the genuine flavor and fine pure-bred quality of this 100% blue agave liquor, bottled on-site at La Cofradía in Tequila, Jalisco. After a double distillation, it is stored for four to six months in holm oak barrels to create a smooth, pure reposado tequila. It may also be enjoyed añejo.

JALISCO SPIRITS, S.A. DE C.V.

Prosperidad 94, Colonia Escandón
11600, México, D.F. • Tel. (5) 352 4798 / Fax (5) 352 4794
Email famquintadfl@telmex.net.mx

LOS COFRADES

Se nombró así a este tequila porque su largo añejamiento de 24 meses en barricas de roble blanco le otorga una madurez de gran clase, que también distingue al anciano cofrade, antiguamente respetado en la comunidad por su sabiduría. La familia Hernández buscó que en el diseño de la botella resaltara el báculo, claro símbolo de jerarquía de este hombre, mediante una bella pieza de cerámica. Su producción anual es de 6 000 botellas. Se recomienda tomarse solo. Su calidad se exporta a Japón.

This tequila acquires refinement and maturity after aging twenty-four months in white oak barrels. These characteristics are also shared by the cofrade from which the name derives—a community elder who, in the past, was held in high esteem for his wisdom. The Hernández family sought to provide this tequila with a beautiful ceramic bottle that would emphasize the cofrade's staff as an emblem of his high standing. Its annual production is 6000 bottles; it is exported to Japan. Los Cofrades is best served neat.

LA COFRADÍA, S.A. DE C.V.

Calle La Cofradía s/n, 46400, Tequila, Jalisco • Tel. (3) 673 2443
Fax (3) 673 2492 • Email cofradia@mpsnet.com.mx

MAPILLI

Antes del siglo XVI, la tribu de los tecuexes de la región de los Altos de Jalisco cultivaba el *Agave azul tequilana Weber*. Mapilli, líder de la tribu, intervino para unir pacíficamente los conocimientos en el cultivo de agave con el arte europeo de la destilación. El nombre de este tequila rinde honor a este hombre, símbolo de fuerza y nobleza de estas tierras rojas, donde se cultivan los mejores agaves. Tequila de calidad *premium*, envasado de origen, 100% puro de agave, Mapilli Blanco se distingue por su transparencia, cuerpo y pureza. Mapilli Reposado adquiere su suavidad y exquisito *bouquet* de su reposo en finas barricas certificadas.

Prior to the sixteenth century, the Tecuexe Indians grew Agave tequilana Weber, blue variety, *in the Los Altos region of Jalisco. Tribal leader Mapilli negotiated the harmonious union between indigenous knowledge of agave cultivation and the European art of distillation. This tequila was named in honor of this man, a symbol of strength and nobility from the red lands which produce the finest agaves. A premium quality* 100% *agave tequila, bottled on-site, Mapilli Blanco is recognized for its clarity, purity and body while Mapilli Reposado acquires its smoothness and refined bouquet from its storage in fine certified barrels.*

INDUSTRIALIZADORA DE AGAVE SAN ISIDRO, S.A. DE C.V.

*Exportado y comercializado por Alicom de México, S.A. de C.V. / Ferfam
Masaryk 62, piso 1, Colonia Polanco, 11580, México, D.F. • Tel. / Fax (5) 531 9296 y 531 5596
Email infoweb@mapilli.com • Internet http://www.mapilli.com*

MAYORAZGO

Desde su nombre mismo, este tequila denota ascendencia, superioridad y primogenitura, atributos respaldados por una magnífica presentación. Don Pedro Velasco Calle fundó en 1911 la empresa La Madrileña y años después, en 1970, se construyó la destilería La Unión, en Tolotlán, Jalisco. Es ahí donde nace Mayorazgo, cuya calidad hará que quien lo pruebe le sea fiel por largo tiempo. Su reposo en pequeñas barricas de roble americano da por resultado un excelente sabor, un suave aroma y un cristalino color. Este fino tequila, 100% de agave, se envasa en una licorera artesanal. Se exporta a Estados Unidos; lo habrá muy pronto en Centro y Sudamérica.

Even the name of Tequila Mayorazgo denotes dominance, superiority and primogeniture, attributes that are reflected in the magnificent presentation of this brand. In 1911, Pedro Velasco Calle founded the La Madrileña company, and years later, in 1970, the La Unión distillery was built in Tolotlán, Jalisco—the birthplace of Tequila Mayorazgo. Its quality has won it many lifetime converts. Its storage in small American oak barrels results in an excellent flavor, mild bouquet and crystalline color. This fine, 100% agave tequila, bottled in a handmade decanter, is currently sold in the US, and will begin exportation to Central and South America shortly.

FÁBRICA DE TEQUILA LA UNIÓN

Distribuidor: La Madrileña, S.A. de C.V.
Arroz 89, Col. Santa Isabel Industrial, 09820, México, D.F.
Tel. (5) 582 2222 / Fax (5) 581 1767

ORTIGOZA

Tequila Ortigoza es un homenaje a don José Ortigoza, caporal del potrero Los Magueyes, cuyo sueño fue elaborar su propio tequila. Hoy sus descendientes cumplen ese sueño. Tequila 100% de *Agave azul tequilana Weber* de la más alta calidad. Reposado en barricas de roble blanco durante periodos de seis a nueve meses, tequila Ortigoza ofrece un producto noble de excelente sabor. Su calidad y fina presentación le han permitido colocarse como uno de los más apreciados en el mercado.

Tequila Ortigoza was created in homage to José Ortigoza, a foreman at Los Magueyes cattle ranch whose dream was to produce his own tequila. His descendents have fulfilled that desire with Ortigoza, a tequila made 100% from the highest quality Agave tequilana Weber, blue variety. Stored six to nine months in white oak barrels, this is a noble liquor with excellent flavor. Its quality and superb presentation have contributed to rank this tequila among the most popular brands on the market.

EDGA, S.A. DE C.V.

Caravaggio 30, Col. Mixcoac,
03910, México, D.F. • Tel. (5) 611 9599 / Fax (5) 611 9479

PORFIDIO

Su fundador, don Ponciano Porfidio, quiso dar a conocer al mundo que el tequila, como el café y el amor, no es para los tibios. Gracias a su intensa labor empresarial, esta bebida mestiza, fundada en 1991, es reconocida internacionalmente por su excelente calidad. El singular diseño de su botella —con un cactus en su interior— se identifica con uno de los bellos paisajes que tiene México. Éste es un producto bien recibido en otros países por su carácter exótico. Los distintos tipos de presentación son: blanco, añejo y reposado. Se exporta a Canadá, Estados Unidos, Taiwán, Japón, Hong Kong, Australia, Nueva Zelanda, Bélgica, Inglaterra, Italia, Alemania, Francia y República Checa.

Ponciano Porfidio's message to the world was that tequila —like love and coffee—is not for the tepid-hearted. Through hard work and business acumen, he won international recognition for the high quality of this mestizo libation, launched in 1991. The bottle's unique design features a glass cactus on the interior, thus evoking the beautiful landscapes to be seen in Mexico. This product has been very well-received on the foreign market for its exoticism. Porfidio is available in blanco, reposado and añejo styles, and is sold in Canada, the US, Belgium, France, England, Germany, Italy, the Czech Republic, Taiwan, Hong Kong, Japan, Australia and New Zealand.

DESTILERÍA PORFIDIO

Km 12 Carretera Vallarta-Tepic Las Juntas, 48291, Puerto Vallarta, Jalisco
Tel. (36) 41 1654 / Fax (36) 40 3323

PUEBLO VIEJO

Todo empezó en 1884, en la hacienda San Matías, ubicada en Magdalena, Jalisco. Don Delfino González Chávez destilaba ahí su propio tequila para su consumo personal y el de sus amigos. Poco a poco su finura comenzó a cobrar fama en la región y la producción en serie comenzó con 200 litros diarios. Más tarde, en asociación con don Guillermo Castañeda, se instaló una fábrica con su propio manantial. La tradición ha sido continuada por don Jesús López Román, quien ha lanzado con éxito Pueblo Viejo y San Matias Gran Reserva, marcas que se distinguen por su reposo y su destilación con agua de manantial. Pueblo Viejo se disfruta como reposado o añejo. Se exporta a Estados Unidos.

It all started in 1884 at the San Matías Hacienda in Magdalena, Jalisco. There, Delfino González Chávez distilled a tequila of his own making, exclusively for his own personal use and to share with his friends. Its refinement gradually became known in the region, and mass production began on a scale of 200 liters per day. Later, he joined forces with Guillermo Castañeda to build a factory with a freshwater spring. The tradition has been continued by Jesús López Román, who created Pueblo Viejo and San Matías Gran Reserva, tequilas distinguished by their storage period and their distillation using spring water. Pueblo Viejo's reposado and añejo styles are exported to the United States.

TEQUILA SAN MATÍAS DE JALISCO, S.A. DE C.V.

Calderón de la Barca 177, Col. Arcos Sur, 44100, Guadalajara, Jalisco
Tel. (3) 615 0421 / Fax (3) 616 1875

QUILATE

Como su nombre lo sugiere, este tequila es un producto de valor, pues se elabora artesanalmente, como se hacía hace un siglo. La fermentación se realiza de manera natural en pipones de madera y tarda cinco días. Además, las piñas se cuecen en hornos de material. Todo ello le da a Quilate el sabor y el aroma que caracterizan a los auténticos tequilas. El diseño exclusivo de su botella azul agua, hecha a mano, realza la imagen de un producto rústico y de gran calidad. Éste es uno de los pocos tequilas que se descorcha. Quilate está destinado a quienes buscan originalidad y tradición. Se ofrece al público como un tequila reposado, 100% de agave, en una presentación de 750 ml.

As the word quilate or carat suggests, this is a product of great value, craft-elaborated using century-old methods. The piñas are first cooked in old-style ovens. Then, the resulting mash is fermented in wooden vats for five days in a totally natural process. All this gives Quilate the flavor and bouquet typical to authentic tequilas. The exclusive design of its hand-crafted aquamarine bottle enhances the image of this high-quality rustic liquor; this is one of the few tequilas opened with a corkscrew. Tequila Quilate is a product for those seeking originality and tradition. This 100% agave reposado tequila is sold in a 750-milliliter bottle.

DESTILADOS FINOS, S.A. DE C.V.

Manuel Acuña 2674-303, Col. Ladrón de Guevara, 44640, Guadalajara, Jalisco
Tel. (3) 641 4380 / Fax (3) 642 2101

QUITA PENAS

Dicen que el tequila quita las penas o, por lo menos, las hace olvidar. La legendaria hacienda Corralejo, en Pénjamo, Guanajuato abre sus puertas a quien desee encontrarse con parte de la historia de México, así como conocer la elaboración artesanal de este tequila, para el cual se cuida desde el cocimiento del agave a vapor en hornos de tabique recocido hasta la molienda y fermentación. Los alambiques son de cobre y su reposo tiene lugar en barricas de finas maderas. Sus fundadores, Javier y Santiago Fernández Gabela, buscaron un diseño fino para la botella. El azul cobalto del alargado envase de un litro rememora el agave azul con que está hecho. La producción de este tequila es limitada y cada botella se numera. El producto tiene ficha de cata para que el cliente responda y, de ser atinado su paladar, se le envía un diploma avalado por el Consejo Regulador del Tequila. Esta marca, de venta sólo en tiendas exclusivas (La Europea, El Palacio de Hierro y Coliseo), cuenta en el tipo reposado con presentaciones de un litro; próximamente habrá botellas de 750 mililitros y una ampolleta de 100. Se exporta a Estados Unidos y Centroamérica y, muy pronto, a Europa y Japón.

Tequila is said to quitar las penas, that is, take away your worries—or at least help you forget them. Quita Penas is produced in Pénjamo, Guanajuato, at the legendary Hacienda Corralejo—a place worth visiting not only to observe the artisanal manufacture of this tequila but also to discover a part of Mexican history. From the steam cooking of the agave in annealed brick ovens and its crushing and fermentation, to its distillation in copper stills and storage in fine wood barrels, each step of the process is carried out with utmost care. Founders Javier and Santiago Fernández Gabela sought to provide Quita Penas with an elegant presentation: the cobalt-blue color of its tall, 1-liter bottle is reminiscent of the blue agave used in its elaboration. Production is limited and each bottle is individually numbered and sold with a taster's card for consumers to fill out: if their description of the tequila is accurate, they receive a certificate from the Tequila Regulatory Council. Now available in 1-liter bottles of reposado, it will soon be sold in 100- and 750-milliliter sizes. It can be found at exclusive shops in Mexico (La Europea, El Palacio de Hierro and Coliseo) and is exported to the US and Central America. It is slated for export to Europe and Japan.

IGFA, S.A. DE C.V.

Camelia 166, local 3, Col. Guerrero,
06300, México, D.F. • Tel. (5) 526 7159 / Fax (5) 529 0302

RESERVA ANTIGUA 1800 AÑEJO
RESERVA 1800 REPOSADO

Este tequila es resultado de la fina artesanía mexicana, sinónimo de abolengo, elegancia y distinción. En sus dos tipos, reposado y añejo, es el orgullo de la casa desde 1800, año de su creación. El Tequila añejo con sus características —su aroma y sabor amaderado— como fruto de su paciente y peculiar añejamiento en barricas de encino americano y roble francés, y su color ámbar oscuro distintivo de los licores auténticamente añejos. Precursor del tequila añejo, es el tequila *premium* de mayor venta en el mundo, con presencia en más de 90 países. Para quienes prefieren este sabor pero con un toque más suave, Reserva 1800 Reposado es una excelente opción.

This tequila is a product of fine Mexican craftsmanship—a synonym for lineage, elegance and distinction. Its two styles, reposado and añejo, have been the pride of the house since 1800, the year it was created. The añejo tequila is characterized by its woody flavor and bouquet, the result of a patient and singular aging process in French oak and American holm oak barrels, and by the dark ambar hue that distinguishes a genuinely aged spirit. It is the original añejo tequila and the largest selling premium brand in the world, available in over ninety countries. Anyone who enjoys this flavor but with a milder tone will find Reserva 1800 Reposado an excellent choice.

TEQUILAS 1800

Reforma 100, La Laja, 45540, Jalisco, México
Tel. (5) 625 4000 / Fax (5) 657 4438

RESERVA DE LA FAMILIA

En 1995 se celebraron los 200 años de Tequila Cuervo, la primera casa tequilera del mundo y una de la compañías más antiguas de México. Como parte de los festejos de aniversario se pusieron a disposición de una clientela exclusiva las reservas de la familia, que hasta entonces eran celosamente guardadas en sus cavas. La calidad de este fino tequila se debe a una selección de posturas. Su botella artesanal, con una etiqueta diseñada a principios de siglo, se presenta en una caja de madera coleccionable, decorada por un artista mexicano de renombre que se selecciona cada año con el fin de difundir el arte de nuestro país en todo el mundo. Este tequila es el orgullo de Casa Cuervo. Se considera un tequila de colección por el número limitado de sus botellas. Se exporta a Estados Unidos, Canadá y Europa.

*T*equila Cuervo celebrated its 200th anniversary in 1995, making it one of the oldest firms in Mexico, as well as the first producer of tequila in the world. To mark the occasion, Cuervo made the family reserves, jealously guarded in its cellars, available to an exclusive clientele. The quality of this tequila can be attributed to the use of only select young agaves. The finely crafted bottle has a label designed at the turn of the century and is presented in a keepsake wooden case that features the work of a different artist each year, as a way of making Mexican art known throughout the world. Reserva de la Familia is the pride of Casa Cuervo, and is considered a collector's item for its limited production. It is exported to the United States, Canada and Europe.

CASA CUERVO, S.A. DE C.V.

Av. Río Churubusco 213, Col. Granjas México, 08400, México, D.F.
Tel. (5) 625 4000 / Fax (5) 657 4438

RESERVA DEL SEÑOR

Fineza y distinción caracterizan a este tequila fundado por los hermanos José y Fausto Orendain en los años cuarenta. Tequilas del Señor adquirió en 1986 esta marca, elaborada con la mejor selección de agaves. Su color dorado transparente es resultado de 14 meses de reposo en barricas de roble blanco. El diseño de la botella está inspirado en un alambique tradicional. Su distinguida calidad y exquisito sabor respaldan el orgullo de dar, recibir y compartir Reserva del Señor. Este tequila se exporta a España y Alemania.

This tequila, founded by brothers José and Fausto Orendain in the 40s, is characterized by its refined quality and distinction. Tequilas del Señor acquired the brand in 1986. Elaborated with the most select agaves, it has a clear, golden color, the result of fourteen months' storage in white oak barrels. The bottle's design imitates the shape of a traditional still. Reserva del Señor's exquisite flavor and its distinguished quality make it an honor to give, to receive, and to share. It is currently exported to Spain and to Germany.

TEQUILAS DEL SEÑOR, S.A. DE C.V.

Río Tuito 1191-1993, Col. Atlas, 44180, Guadalajara, Jalisco
Tel. (3) 657 7877 / Fax (3) 657 2936

REVOLUCIÓN

Su nombre lo dice todo. La Revolución –intenso episodio de la historia mexicana– respalda este tequila, elaborado 100% con el mejor *Agave azul tequilana Weber*. Desde 1995, los expertos han encontrado en él un fino sabor cultivado durante diez meses de reposo en barricas de roble, sin añadir ningún saborizante. Su producción anual alcanza las 150 000 unidades, con una muy lujosa presentación: una botella de oro de 24 k, con placa personalizada. Se exporta a Guatemala, Estados Unidos, Canadá, Luxemburgo, Inglaterra, Francia y Bélgica

The name says it all. The 1910 Revolution—an intense episode in Mexican history—provides the backdrop for this tequila made with the finest 100% Agave Tequilana Weber, blue variety, since 1995. Connoisseurs appreciate its refined taste which is achieved over a ten-month storage period in oak barrels, and with no added flavorings. Its presentation is nothing if not deluxe: a 24-karat gold bottle complete with personalized plaque. Annual production is 150 000 bottles. It is exported to the US, Canada, Guatemala, France, Belgium, Luxembourg and England.

MILEMIGLIA, S.A. DE C.V.

Schiller 417, Col. Chapultepec Morales, 11570, México, D.F. • Tel. (5) 203 7836
Fax (5) 545 2122 · Internet http://www.m3w3.com.mx/TequilaRevolución

SAUZA CONMEMORATIVO

Durante 125 años, la familia Sauza ha producido con orgullo este auténtico tequila, cuya gran calidad constituye una tradición que los mexicanos han hecho canción: "Borrachita de tequila, llevo siempre el alma mía, para ver si se mejora de esta cruel melancolía". Sauza Conmemorativo es un tequila añejo que reposa en barricas de roble blanco durante dos o tres años. Su exquisito aroma e inconfundible sabor se gestan en la noble tierra de Tequila, Jalisco. Su fineza se aprecia al tomarlo solo, pero también sorprende su extraordinaria versatilidad al mezclarlo con otras bebidas o al utilizarlo como base en toda clase de cocteles.

For 125 years the Sauza family has proudly produced this genuine tequila. Its quality is such that it constitutes a true Mexican tradition, even bringing to mind a certain song: "My soul is drunk on tequila eternally, to see if that will cure its cruel melancholy." Sauza Conmemorativo is an añejo tequila that ages in white oak barrels for two to three years. Its exquisite bouquet and unmistakable flavor are produced in the noble land of Tequila, Jalisco. This fine liquor can be best appreciated when it is served neat but it also shows astonishing versatility as the basis for a wide variety of cocktails or when combined with other kinds of beverages.

TEQUILA SAUZA, S.A. DE C.V.

Av. Vallarta 3273, Col. Vallarta Poniente, 44100, Guadalajara, Jalisco
Tel. (3) 679 0600 / Fax (3) 679 0690

SAUZA HORNITOS

La admiración y el respeto de la Casa Sauza por la belleza del arte mexicano se manifiesta en los bellos murales de sus instalaciones que describen con maestría el nacimiento de esta singular bebida. Sauza Hornitos es, desde hace más de 50 años, el preferido de los conocedores. Es el primer tequila reposado, 100% de agave azul, producido por la Casa Sauza con 125 años de experiencia. Su aroma es equilibrado y su sabor natural, ideal para tomarse solo o con sangrita, sal y limón, en las rocas, o mezclado con su refresco preferido.

Casa Sauza's admiration and respect for the beauty of Mexican art can be seen in the magnificent murals that adorn the company's buildings, which illustrate the birth of this beverage. For half a century, Sauza Hornitos has been a favorite among connoisseurs. It was the first 100% blue agave reposado tequila produced by this firm with 125 years of experience in the industry. Its balanced bouquet and natural flavor make it ideal for enjoying neat, on the rocks, with sangrita, salt and lime or combined with the soft drink of your choice.

TEQUILA SAUZA, S.A. DE C.V.

Av. Vallarta 3273, Col. Vallarta Poniente, 44100, Guadalajara, Jalisco
Tel. (3) 679 0600 / Fax (3) 679 0690

SELECCIÓN SUPREMA

Este tequila representa la máxima expresión de la Casa Herradura. Agaves de las mejores tierras, el horno más antiguo para su cocción y el talento del viejo maestro destilador producen la magia de este producto que no tiene igual. Se añeja a lo largo de cinco años, pues sólo el tiempo es capaz de exaltar y sublimar al agave mexicano para, de ese modo, poner al tequila en la categoría de las grandes bebidas internacionales. Selección Suprema se pide con orgullo y en voz alta.

Selección Suprema is the ultimate expression of the Herradura company. Agaves cultivated in the richest soil and then cooked in an antique oven, combined with the chief distiller's talent and years of experience, produce the magic of this tequila that is truly without peer. It is aged for five years because only time is capable of taking Mexican agave to such a sublime level that tequila may be placed on a par with the finest liquors in the world. Ask for Selección Suprema out loud and with pride.

TEQUILA HERRADURA, S.A. DE C.V.

Av. 16 de Septiembre 635, Zona Centro, 44180, Guadalajara, Jalisco
Tel. (3) 614 0400 / Fax (3) 614 0175
Email herraduraventas@infosel.net.mx

SEVILLA LA VILLA

La producción de este tequila se inició en 1998. Su nombre, Sevilla La Villa, reconoce el mestizaje de nuestra cultura, y es que, a semejanza de la nación mexicana, el tequila nació mestizo: del agave de esta tierra y de los alambiques llegados de Europa. La familia Hernández, fundadora de este tequila, está orgullosa de volver con el tequila a las raíces hispanas del mexicano. La etiqueta de su botella tiene diversos símbolos del folclor nacional. Brillante, cristalino, y de calidad con raza, Sevilla La Villa se exportará pronto a España. Es ideal para ser mezclado.

This tequila began production in 1998. Its name, Sevilla La Villa, was chosen to honor Mexico's mestizo culture. Like the country itself, tequila is the product of a cultural blend: in this case, of native Mexican agave and European-imported stills. The Hernández family is proud to have created this tequila in a symbolic return to Mexico's Spanish roots. The bottle's label features a number of emblems taken from the Mexican national folklore tradition. Sevilla La Villa is a crystal clear, sparkling liquor of purebred quality, ideal in mixed drinks. It will soon begin exportation to Spain.

LA COFRADÍA, S.A. DE C.V.

Calle La Cofradía s/n, 46400, Tequila, Jalisco • Tel. (3) 673 2443
Fax (3) 673 2492 • Email cofradia@mpsnet.com.mx

SIETE LEGUAS

Siete Leguas, el caballo que Villa más estimaba, cuando oía silbar los trenes se paraba y relinchaba... La fuerza y bravura de este tequila hace honor al caballo del "Centauro del Norte", personaje admirado por don Ignacio González, quien fundó esta marca en 1950. Su elaboración en molienda de tahona, en Atotonilco el Alto, le da un extraordinario sabor y fina calidad, por lo que se considera inigualable. Su botella, una típica tequilera, tiene grabadas en su etiqueta las iniciales de su fundador. Lo hay blanco, reposado y añejo. La producción de las dos últimas es limitada por ser de los más finos tequilas. Se exporta a Estados Unidos y Japón.

Siete Leguas, by far Pancho Villa's favorite steed: whenever it heard the train whistle, it would rear up and neigh... This tequila's potency and feistiness render homage to the horse that belonged to Villa, the Centaur of the North, a figure much admired by Ignacio González, who created this brand in 1950. Elaborated in Atotonilco el Alto using a traditional tahona mill, its exceptional flavor and quality are such that it is considered to be without peer. The label on its typical bottle features the founder's initials. It comes as a blanco, reposado or añejo; the latter two are limited-production tequilas due to their superior quality. It is exported to the US and Japan.

TEQUILA SIETE LEGUAS, S.A. DE C.V.

Av. Independencia 360, 47754, Atotonilco el Alto, Jalisco • Tel. (391) 709 96 / Fax (391) 718 91
Mariposa 1139, Col. Jardines de la Victoria, 44530, Guadalajara, Jalisco • Tel. / Fax (3) 671 2064

SOMBRERO NEGRO

Este tequila evoca a los hidalgos rurales tequileros, hombres de "a caballo" que encontraron en la charrería su expresión natural y en la calidez transparente del tequila, su paladar reconoció lo que les era propio. Desde los años cuarenta esta bebida es un orgullo para la casa Tequilas del Señor. Su producción anual, de 50 000 cajas, se distribuye en México, Chile, Brasil, Argentina, Colombia, Portugal, España, Alemania, Holanda e Italia. En todos estos países su noble y fino sabor lo hacen una excelente elección.

This tequila evokes the noble men of the rural tequila-producing region, horsemen who found their natural expression in charrería and in the transparent warmth of a tequila they recognized as their own. Sombrero Negro has been on the market since the 40s and is a source of pride for Tequilas del Señor. Its production of 50 000 crates per year is sold in Mexico, Argentina, Brazil, Chile, Colombia, Portugal, Spain, Italy, Holland and Germany. Its refined and noble flavor make it a good choice in any country.

TEQUILAS DEL SEÑOR, S.A. DE C.V.

Río Tuito 1191-1993, Col. Atlas, 44180, Guadalajara, Jalisco
Tel. (3) 657 7877 / Fax (3) 657 2936

TEQUILA 1910

En 1910 dio inicio la Revolución Mexicana y fue en esa época también que surgió el Tequila 1910, bebida que seguramente disfrutaron muchos revolucionarios. Este tequila 100% de agave, de suave sabor y aspecto cristalino, se creó como un homenaje a ese notable episodio de nuestra historia. En 1910 se destilaba en la región de Santo Tomás, Jalisco, en forma casera para amenizar las fiestas familiares de don Zenaido y don Benigno Galván. La botella de vidrio soplado es una réplica de las que se usaron durante la Revolución. Se puede degustar en sus tres formas: blanco, reposado y añejo. Actualmente se produce en edición limitada y se exporta a Europa.

The Mexican Revolution started in 1910, and it was during the same period that Tequila 1910 had its origin, certainly becoming a popular drink among the revolutionaries. This 100% agave tequila has a smooth flavor and clear appearance, and was created in homage to that important episode in Mexican history. In 1910, it was produced with home stills in the region of Santo Tomás, Jalisco to enliven the family gatherings held by Zenaido and Benigno Galván. The blown-glass bottle is a replica of the ones used during the Revolution. Tequila 1910 is produced in a limited edition as a blanco, reposado or añejo. It is exported to Europe.

CASA TEQUILERA 1910

Productor Casa Tequilera 1910 • P. Guerrero 243, Col. López Mateos, 63070, Tepic, Nayarit, México • Tel. / Fax (3) 677 1080

TEQUILA 30-30

Algunos expertos aseguran que el mejor *Agave azul tequilana Weber* crece en los Altos de Jalisco, donde se encuentra Capilla de Guadalupe, que por sus características particulares de altitud, y por la riqueza y la humedad específicas de la tierra alteña produce un gran tequila, 100% de agave y envasado de origen: Tequila 30-30. Se presenta como blanco, reposado y añejo. El blanco recibe un toque final de oxigenación para hacerlo "más suave y natural". El reposado descansa más tiempo del acostumbrado para obtener un sabor "más amable". El añejo, a su vez, ofrece "la suavidad y la finura" del mejor tequila. Se exporta a Estados Unidos, Canadá y Europa.

Certain experts feel the best Agave tequilana Weber, blue variety, grows in Los Altos of Jalisco, where Capilla de Guadalupe is located. Particular features of this area such as its altitude and the richness and moisture of the soil combine to produce an excellent 100% agave tequila, bottled on-site. This product, Tequila 30-30, is available in blanco, reposado and añejo styles. The blanco undergoes a final oxygenation that makes it smoother and more natural. The reposado is stored for a longer period than usual in order to obtain its pleasant flavor. The añejo has all the smoothness and refinement of the best tequilas. Exported to the US, Canada and Europe.

AGROINDUSTRIA GUADALAJARA, S.A. DE C.V.

San Rafael 344, Col. Chapalita, 45030, Guadalajara, Jalisco • Tel. (3) 647 6400
Fax (3) 122 9788 • Internet HYPERLINK http://www.3030tequila.com

TRES ALEGRES COMPADRES

En 1992 nació en Tequila, Jalisco, bajo el cuidado de la familia Hernández, Tres Alegres Compadres reposado. Esta bebida permanece cuatro meses en barricas de finas maderas que suavizan su sabor y le brindan una distinguida calidad. Su nombre evoca a tres hombres que en la vida real son compadres; uno de ellos es el dueño de la destilería La Cofradía. La gran aceptación del tequila 100% de agave entre los conocedores llevó a que dicha firma iniciara la fabricación de su tequila blanco en noviembre de 1997. La producción anual es de 240 000 botellas.

This reposado tequila was created in 1992 in Tequila, Jalisco, under the careful supervision of the Hernández family. It is stored for four months in barrels of fine wood in order to give it a milder flavor and more distinguished quality. Its name refers to three men who are compadres in real life, one of whom is the owner of the La Cofradía distillery. This 100% agave tequila was widely acclaimed by connoisseurs, leading La Cofradía to start producing a new blanco tequila in November 1997. Its annual production is 240 000 bottles.

LA COFRADÍA, S.A. DE C.V.

Calle La Cofradía s/n, 46400, Tequila, Jalisco, México • Tel. (3) 673 2443
Fax (3) 673 2492 • Email cofradia@mpsnet.com.mx

TRES GENERACIONES

Esta bebida pertenece a la gran reserva de la familia Sauza, la cual la produce con la experiencia obtenida a lo largo de tres generaciones de tequileros. A ello se debe precisamente su nombre: Tres Generaciones. Su fundador, don Cenobio Sauza adquirió en 1873 la fábrica La Antigua Cruz, que fue rebautizada 15 años más tarde como La Perseverancia, como lo muestra el espléndido mural creado por el pintor Gabriel Flores. Por ser un tequila de gran linaje, se recomienda paladearlo solo, como las más finas bebidas. De tres a cuatro años, este líquido reposa en finas barricas de roble blanco, con lo que adquiere un sabor suave, aterciopelado y ligeramente amaderado. Su fermentación natural y su tradicional destilación en alambiques de olla le otorgan su distintivo color dorado, cuya brillantez lo hace único en su categoría. Su producción es limitada y se ofrece al público en una presentación única: añejo.

This fine tequila pertains to the great Sauza family reserve. The Sauza family has been accumulating its experience in the tequila-production industry over the course of three generations, hence the name of this brand: Tres Generaciones. In 1873, company founder Cenobio Sauza acquired the La Antiqua Cruz distillery, which was rebaptized La Perseverancia fifteen years later, as depicted in the splendid mural by painter Gabriel Flores. As a tequila of superior lineage, Tres Generaciones should be enjoyed neat, like the most exquisite liquors. It is aged in barrels of fine white oak for three to four years, during which time it takes on a singularly smooth and velvety flavor with a somewhat woody tone. Its natural fermentation and traditional distillation in pot stills give this liquor its distinctive golden color, and the sparkling appearance that places it first in its class. This is a limited-production tequila, and is only available as an añejo.

TEQUILA SAUZA, S.A. DE C.V.

Av. Vallarta 3273, Colonia Vallarta Poniente, 44100, Guadalajara, Jalisco
Tel. (3) 379 0600 / Fax (3) 679 0690

VIUDA DE SÁNCHEZ

A principios de los años veinte surgió la historia de José Sánchez. Cada
tarde, después de la jornada de trabajo, o durante algún paseo, este excelente anfitrión invitaba a sus amigos a saborear su singular tequila,
acompañado de la sabrosa botana
preparada por su esposa: la original
sangrita. Hoy, 75 años después, su
hijo Edmundo Sánchez comparte por
primera vez con México y el mundo
los secretos de esta bebida de gran
calidad y tradición, con la que se han
preparado novedosas combinaciones, entre ellas el famoso vampiro.
Tequila Viuda de Sánchez, 100% de
agave azul, reposa en barricas de
roble blanco americano. Se toma
solo o acompañado de su inseparable Sangrita Viuda de Sánchez.

*J*osé Sánchez's story had its beginning in the early 1920s. Every evening after work, or on outings, this excellent host would invite his friends to sample a unique tequila of his own making, accompanied by a delicious chaser his wife prepared: the original sangrita. Today, three-quarters of a century later, their son Edmundo Sánchez reveals to Mexico and to the world the secrets of this grand tequila known for its quality and tradition, and as an ingredient in flavorful combinations such as the Vampiro. Viuda de Sánchez is a 100% blue agave reposado tequila and is stored in white American oak barrels. It may be served straight or accompanied by its inseparable partner, Sangrita Viuda de Sánchez.

CASA CUERVO, S.A. DE C.V.

Av. Río Churubusco 213, Col. Granjas México, 08400, México, D.F.
Tel. (5) 625 4000 / Fax (5) 657 4438

ELÍXIRES DE AGAVE
LICORES DE TEQUILA
SANGRITAS

AGAVE ELIXIRS
TEQUILA LIQUEURS
SANGRITAS

DON MAXIMILIANO AÑEJO

Este elíxir de agave, embotellado por primera vez en 1990, se añeja durante al menos dos años, tiempo suficiente para que adquiera su espléndido y delicado sabor, de seductor *bouquet*. Una vez seleccionados los mejores agaves de los Altos de Jalisco, don Alberto Becherano, creador de este elíxir, cuida personalmente que la calidad de Don Maximiliano se conserve intacta. El diseño de su botella —clásico, sobrio y elegante— enfatiza la imagen señorial de esta bebida. El volumen de su reserva varía cada año, aunque nunca ha llegado a ser mayor de 2 000 litros. Ésta es la razón por la que no se exporta a otros países. Hasta ahora sólo se distribuye celosamente entre un selecto grupo de amigos y conocedores.

This elixir de agave, bottled in 1990 for the first time, is aged for at least two years, sufficient time for it to acquire its superbly delicate flavor and its seductive bouquet. Once the finest agaves in the Los Altos region of Jalisco have been selected, Alberto Becherano, the creator of this elixir, takes personal responsibility for maintaining Don Maximiliano Añejo's high quality. The bottle's classic design is at once sober and elegant, emphasizing the regal image of this product. Its reserve varies in volume from year to year, but has never exceeded 2000 liters. As such, it is not sold outside of Mexico. To date, only a select group of connoisseurs have had the privilege of tasting this elixir.

TEQUILAS DE LA DOÑA, S.A. DE C.V.

Tlapexco 25, Col. Palo Alto, 05110, México, D.F.
Tel. (5) 259 5432 / Fax (5) 259 5449 • Email elixirdeagave@hotmail.com

DON MAXIMILIANO REPOSADO

Se produce con el mejor y más selecto agave azul. Su nombre, que denota jerarquía, rememora el México antiguo y majestuoso del siglo pasado. A diferencia de un tequila, un elíxir de agave reposado es aquel que, luego de haber alcanzado su madurez con un reposo de cuatro a seis meses, descansa durante seis meses más. Su estancia en las barricas le otorga un sabor suave, aterciopelado y con una gran personalidad. El diseño clásico de su botella, así como su elegante etiqueta, corresponde fielmente al concepto sofisticado de este elíxir. Debido a los estrictos controles de calidad y a su carácter exclusivo, hasta ahora no se han embotellado más de 2 000 litros de una sola reserva. A ello se debe que sólo se distribuya en México, entre un selecto grupo de conocedores.

This product is made with the best and most select blue agave plants. Its name denotes rank, and recalls the bygone days of majestic nineteenth-century Mexico. Unlike tequila, a reposado elixir de agave *ages for another six months after reaching maturity, a process that in itself requires four to six months. This elixir is stored in barrels, imparting a smooth, velvety flavor and a strong personality to the beverage. The classic design of its bottle and the elegance of its label are true to the sophisticated concept of this brand. Because of the strict quality controls used during the manufacture of this elixir, and also for its exclusive nature, its production has never exceeded 2000 liters in a single reserve. It is for this reason that Don Maximiliano Reposado is distributed exclusively in Mexico, and only among a highly select group of connoisseurs.*

TEQUILAS DE LA DOÑA, S.A. DE C.V.

Tlapexco 25, Col. Palo Alto, 05110, México, D.F.
Tel. (5) 259 5432 / Fax (5) 259 5449 • Email elixirdeagave@hotmail.com

EL CAPRICHO AÑEJO

El agave azul bien puede considerarse como un capricho de la naturaleza, pues nace exclusivamente en una pequeña zona del mundo. De esa idea toma su nombre este elíxir de agave creado en 1997. A diferencia del tequila, un elíxir de agave se distingue por tener tan sólo 36% de volumen de alcohol, graduación que le confiere un balance perfecto en su sabor de exquisita amabilidad. El Capricho Añejo permanece durante 20 meses en las barricas, lo que da como resultado una bebida de espléndido sabor, regio color y seductor *bouquet*. La primera reserva de este elíxir fue de 18 000 botellas únicamente. Se estima que la reserva de 1998 alcanzará las 60 000 botellas y estará disponible a partir de 1999. Pronto se exportará a Estados Unidos y Japón.

Blue agave could well be considered to be a capricho or whim of nature, as it can only be found in a very small part of the world. The name of this elixir de agave, launched in 1997, arose from that idea. An elixir de agave differs from a tequila in that it has only thirty-six percent alcohol by volume, imparting a perfect balance to its exquisitely appealing flavor. El Capricho Añejo is aged in barrels for a period of twenty months, a process which results in a beverage of regal color, splendid flavor and a seductive bouquet. The first reserve of this brand produced only 18 000 bottles, but it is estimated that its 1998 reserve will be increased to 60 000 bottles. It will be made available as of 1999. El Capricho Añejo is slated for export to the United States and Japan.

TEQUILAS DE LA DOÑA, S.A. DE C.V.

Tlapexco 25, Colonia Palo Alto, 05110, México, D.F.
Tel. (5) 259 5432 / Fax (5) 259 5449 • Email elixirdeagave@hotmail.com

EL CAPRICHO MADURO

Esta línea de elíxir de agave fue creada por don Alberto Becherano, quien cuida personalmente la excelencia de cada paso del proceso de elaboración para asegurar que el producto final resulte sobrio, elegante y exquisito, alejado de modas pasajeras. El Capricho Maduro apareció en el mercado a finales de 1998 para ofrecerle al público una excelente alternativa que se caracteriza por el reposo de cuatro a cinco meses, tiempo necesario para que un elíxir alcance su plena madurez. Elaborado con mieles de agave azul estrictamente seleccionadas, esta bebida es un magnífico aperitivo de suave sabor y exquisito *bouquet*. La reserva de 1998, disponible en 1999, constará de entre 144 000 y 200 000 botellas. Próximamente se disfrutará en Estados Unidos y Japón.

This line of elixir de agave *was created by Alberto Becherano, who personally supervises each step of the production process in order to ensure the sobriety, elegance and refinement of the product, to create something more than a passing fashion. El Capricho Maduro was released onto the market in 1998, offering the public an excellent alternative characterized by a four to five-month aging period—the time needed for an elixir to reach full maturity. Manufactured with carefully selected juices of blue agaves, El Capricho Maduro is a magnificent aperitif with an exquisite bouquet and smooth taste. Its 1998 reserve consists of between 144 000 and 200 000 bottles, and will be available as of 1999. This elixir is slated for exportation to the United States and Japan.*

Destilado de Agave Azul

El Capricho

Cavas de la Doña

Elixir de Agave

Maduro

36% Alc.Vol.
72 PROOF

Cont.Net.
750ml
25.6 FL. OZ.

TEQUILAS DE LA DOÑA, S.A. DE C.V.

*Tlapexco 25, Colonia Palo Alto, 05110, México, D.F.
Tel. (5) 259 5432 / Fax (5) 259 5449 • Email elixirdeagave@hotmail.com*

EL CAPRICHO REPOSADO

Para lograr el amable sabor aterciopelado que lo distingue, este elíxir de agave reposa durante seis meses más después de haber cumplido los cuatro meses que requiere para llegar a su madurez. La primera reserva de El Capricho Reposado, presentada al público en 1997, fue de 60 000 botellas, pero debido a su gran aceptación la próxima será de 120 000 botellas y estará disponible en 1999. El balance perfecto y la generosa personalidad del *bouquet* de esta bebida muestran con toda claridad que el agave es una planta cuyos dones son innumerables. Los conocedores de Estados Unidos y Japón lo tendrán muy pronto en su mesa.

To achieve the delightful, velvety flavor that distinguishes this elixir de agave, it is aged for a further six months after having completed the four- to six-month aging period required for it to reach maturity. The first reserve of El Capricho Reposado consisted of 60 000 bottles and was presented to the public in 1997. However, due to its enormous popularity, the next reserve will consist of 120 000 bottles; it will be available in 1999. The perfect balance and generous personality of its bouquet are clear proof that the agave is a plant of infinite merits. Connoisseurs in the United States and Japan will soon be able to enjoy El Capricho Reposado.

TEQUILAS DE LA DOÑA, S.A. DE C.V.

Tlapexco 25, Col. Palo Alto, 05110, México, D.F.
Tel. (5) 259 5432 / Fax (5) 259 5449 • Email elixirdeagave@hotmail.com

RESERVA DEL EMPERADOR

El nombre es, más que nada, una exigencia, pues con ello sus productores anuncian su propósito de crear una bebida digna de un emperador. Este elixir está elaborado con los mejores y más selectos destilados de agave azul, que se añejan durante años bajo una estricta vigilancia. Por su edad, excelso sabor, color y *bouquet* este elixir de agave es considerado un producto prácticamente imposible de repetir. Para esta Reserva del Emperador se encargó al maestro Alonso González el diseño y la fabricación a mano de 220 licoreras firmadas y numeradas, que justificara envasar esta exclusiva y limitada reserva, que por sus características tan especiales se considera un verdadero tesoro para conocedores y coleccionistas.

The name of this elixir sets a certain standard of quality, as it announces its producer's intention of creating a drink fit for an emperor. This product is manufactured using the finest and most select blue agave distillates which are aged for several years under careful supervision. For its age, and its sublime flavor, color and bouquet, this elixir de agave is considered virtually impossible to duplicate. Master craftsman Alonso González was commissioned to design and to fabricate by hand 220 numbered and signed decanters—a fitting container for this exclusive and limited reserve. Due to these special characteristics, this elixir is considered to be a treasure for collectors and connoisseurs.

TEQUILAS DE LA DOÑA, S.A. DE C.V.

Tlapexco 25, Col. Palo Alto, 05110, México, D.F.
Tel. (5) 259 5432 / Fax (5) 259 5449 • Email elixirdeagave@hotmail.com

AGAVERO

Hace más de un siglo, este original licor de tequila fue creado personalmente por Lázaro Gallardo, como halago al buen gusto de sus invitados especiales. Después de varias generaciones, Agavero se produce artesanalmente, siguiendo la fórmula secreta del maestro en producciones limitadas, hechas con los más finos tequilas añejos y reposados, 100% de agave azul, añadiendo un toque especial de flor de Damiana. Su sabor y suavidad se disfrutan mejor tomándolo solo, en las rocas, con un *twist* de naranja o de limón, o en un delicioso café. Es ideal para acompañar sus postres.

Lázaro Gallardo personally created this tequila liqueur more than a century ago, to delight the taste buds of his preferred guests. Several generations have come and gone, but Agavero is still produced in limited quantities, using artisanal methods and following the secret formula of its creator. It is elaborated from the finest 100% blue agave reposado and añejo tequilas, adding just a hint of damiana flowers as a special touch. Its smoothness and flavor can be best appreciated when served neat, on the rocks, with a twist of lime or orange, or in a delicious coffee. It is the ideal accompaniment for desserts.

FÁBRICA LOS CAMICHINES

Reforma 100, 45430, La Laja, Jalisco, México
Tel. (5) 625 4000 / Fax (5) 657 4438

LA PINTA

La Pinta es un fino licor de granada al tequila elaborado con jugos de varias frutas 100% naturales (principalmente granada), tequila de la mejor calidad y endulzantes naturales. Después de su elaboración, reposa durante seis meses en garrafas de cristal bajo estricto control ambiental. Se recomienda tomarlo solo —derecho— o en las rocas. Debe su nombre a una de las primeras carabelas que llegaron a América desde el puerto de Palos. Es por ello que esa bebida simboliza la unión de dos mundos: México y España, lo cual queda reflejado en el diseño de su botella. Actualmente existe en el mercado La Pinta Reserva Especial y próximamente estará disponible La Pinta Reserva Antigua.

La Pinta is a fine pomegranate and tequila liqueur which is manufactured from natural fruit juices (mainly pomegranate), high-quality tequila, and natural sweeteners. After it has been prepared, it is stored for six months in glass carafes, in a strictly controlled environment. It is best served either neat or on the rocks. La Pinta was named after one of the first caravels to reach America from the Mediterranean port of Palos. As such, it symbolizes the junction of two cultures and of two worlds—that of Mexico and that of Spain—as reflected in the bottle's design. La Pinta Reserva Especial can already be found in stores, and La Pinta Reserva Antigua will be released on the market shortly.

CASA TRADICIÓN, S.A. DE C.V.

Rosario 611-208, Col. Jardines de los Arcos, 44520, Guadalajara, Jalisco
Tel. / Fax (3) 647 3250 • Email lapinta@mexicobiz.com

ÓNIX

Este singular licor es una mezcla de arte y tradición. Está hecho con café de altura y tequila 100% de agave azul, ingredientes nativos de este suelo. Ónix se disfruta derecho, en las rocas o en una taza de humeante café, para convertirlo así en "café azteca". Puede saborearse también en postres, combinado con hielo y leche evaporada o en los más deliciosos cocteles. Congelado es, sencillamente, una tentación. Su tonalidad oscura evoca la piedra del ónix. La botella es de vidrio soplado, con tapón de corcho, madera y un detalle en piel. Este licor compite con los más finos del mundo y su aceptación en Estados Unidos, Italia, Japón y otros países es extraordinaria.

This unique liqueur is a blend of art and tradition. It is made with highland coffee and 100% blue agave tequila—ingrediants that are native to Mexico. It may be enjoyed neat, on the rocks, or in a steaming-hot cup of coffee to create a delicious Café Azteca. It can be added to desserts, or combined with crushed ice and evaporated milk, or enjoyed in delicious cocktails. Frozen, it is truly a temptation. The rich, dark color of this liqueur is evocative of that of black onyx. Its blown-glass bottle features a cork-and-wood stopper and a leather ornament. On par with the finest liqueurs in the world, Ónix is extraordinarily popular in the United States, Italy, Japan and a number of other countries.

KGS INTERNATIONAL, S.A. DE C.V.

Manuel Acuña 2674-303, Col. Ladrón de Guevara, 44640, Guadalajara, Jalisco. Tel. (3) 641 4380 / Fax (3) 642 2101 • Email kgsint@infosel.net.mx

SANGRITA VIUDA DE SÁNCHEZ

La tradición de José Sánchez comenzó a principios de los años veinte, cuando agasajaba a sus invitados con su tequila y con la exquisita botana preparada por su esposa, Guadalupe Nuño. Posteriormente, la viuda de Sánchez se puso al frente del negocio y popularizó en todo México la original sangrita que lleva su nombre. Elaborada con jugo de naranja o naranjas cortadas en trozos, sal y chiles rojos de árbol, bien secos y molidos, esta botana es la inseparable compañera del tequila. Si se combina con refresco de toronja y tequila Viuda de Sánchez se crea el delicioso "vampiro", muy apreciado en el norte de México.

The legend of José Sánchez goes back to the early 1920s. He enjoyed entertaining friends with a good tequila of his own making, accompanied by an exquisite chaser prepared by his wife, Guadalupe Nuño. She later took over the business and popularized this beverage —the original sangrita—across Mexico under her own name: Viuda de Sánchez, Sánchez's widow. Made from fresh cut oranges or orange juice, salt and chiles de árbol, it is tequila's inseparable companion. Mixed with grapefruit soft drink and Tequila Viuda de Sánchez, the result is a Vampiro, a very popular cocktail across northern Mexico.

CASA CUERVO, S.A. DE C.V.

Av. Río Churubusco 213, Col. Granjas México, 08400, México, D.F.
Tel. (5) 625 4000 / Fax (5) 657 4438

All the Mexican and International Brands
Directory of Distilleries

Todas las marcas nacionales y extranjeras

Directorio de destilerías

Marcas nacionales
Mexican Labels
P: Productor / **D**: Distribuidor
P: *Producer* / **D**: *Distributor*

Agave Real
REPOSADO
P Tequila Cascahuín, S.A.
D Agave Real, S.A. de C.V.
100% de agave

Agaveros Unidos
BLANCO
P/D Agaveros Unidos de Amatitán, S.A. de C.V.
100% de agave

Alazán
P Corporación Ansan, S.A. de C.V.
D Cava de Fontenac, S.P.R. de R.I.

Alebrije
BLANCO Y REPOSADO
P La Cofradía, S.A. de C.V.
D Tequilera Tierra Azul, S.A. de C.V.
100% de agave

Aguascalientes
BLANCO Y JOVEN
P/D La Cofradía, S.A. de C.V.
100% de agave (el blanco)

Allende
BLANCO Y REPOSADO
P Tequilera Corralejo, S.A. de C.V.
D Tequileros Mexicanos, S.A. de C.V.
100% de agave

Alteño
REPOSADO Y RESERVA NUMERADA
P La Quintaneña
D Productos de Uva, S.A. de C.V.
100% de agave

Amate
BLANCO Y JOVEN
P La Cofradía, S.A. de C.V.
D Lic. Juan Arroyo Rivera
100% de agave (el blanco)

Amatitense
REPOSADO
P/D Agaveros Unidos de Amatitán, S.A. de C.V.
100% de agave

Amo Aceves
AÑEJO
P/D Agroindustria Guadalajara, S.A. de C.V.
100% de agave

Arenal
BLANCO Y JOVEN
P/D Tequila Parreñita, S.A. de C.V.

Arette
BLANCO, BLANCO SUAVE, REPOSADO Y REPOSADO SUAVE
P/D Destiladora Azteca de Jalisco, S.A. de C.V.
100% de agave

Arfor Revolución
BLANCO
P/D Milemiglia, S.A. de C.V.
100% de agave

Arroyo Negro
BLANCO Y REPOSADO
P La Cofradía, S.A. de C.V.
D La Cava del Señor, S.A. de C.V.
100% de agave

Artillero
REPOSADO
P La Cofradía, S.A. de C.V.
100% de agave

Atalaje
REPOSADO Y AÑEJO
P Agroindustria Guadalajara, S.A. de C.V.
D Agroservicios Nacionales, S.A. de C.V.
100% de agave

Azabache
ABOCADO, BLANCO Y JOVEN
P Tequila Parreñita, S.A. de C.V.
D Agaves Finos, S.A. de C.V.

Aztlán
BLANCO Y REPOSADO
P/D Tequila Eucario González, S.A. de C.V.
100% de agave

Barajas
BLANCO, REPOSADO
P/D Ruth Ledesma Macías
100% de agave

Barranca
BLANCO Y REPOSADO
P/D Catador Alteño, S.A. de C.V.
100% de agave

Barranca de Viudas
BLANCO Y REPOSADO
P/D Catador Alteño, S.A. de C.V.
100% de agave

Bambarria
REPOSADO
P/D Tequilas del Señor, S.A. de C.V.
100% de agave

Berrueco
REPOSADO
P/D Casa Berrueco, S.A. de C.V.
100% de agave

Bolero
REPOSADO
P Destiladora Azteca de Jalisco, S.A. de C.V.
D Alvaro Mauricio Ballardo
100% de agave

Buen Agave
BLANCO, REPOSADO, AÑEJO
P/D Metlalli, S.A. de C.V.
100% de agave

Caballito Cerrero
BLANCO Y REPOSADO
P/D Tequila Caballito Cerrero, S.A.
100% de agave

Caballo Azteca
BLANCO Y REPOSADO
P Tequila Cascahuín, S.A.
D Tequila Cerro Viejo, S.A. de C.V.

Caballo Dorado
JOVEN
P La Cofradía, S.A. de C.V.
D Comercializadora Internacional, S.A. de C.V.

Caballo Moro
BLANCO Y REPOSADO
P/D Tequila Parreñita, S.A. de C.V.
100% de agave

Caballo Negro
BLANCO Y REPOSADO
P/D Tequila Eucario González, S.A. de C.V.
100% de agave

Cabrito
REPOSADO
P/D Tequila Centinela, S.A. de C.V.
100% de agave

Calera
BLANCO Y REPOSADO
P/D Destiladora Los Magos, S.A. de C.V.

Caliente
BLANCO
P/D Tequilera La Gonzaleña, S.A. de C.V.
100% de agave

Camarena
REPOSADO
P/D La Arandina, S.A. de C.V.
100% de agave

Camino Real
BLANCO Y JOVEN
P Tequila Cascahuín, S.A.
D Bacardí y Cía. S.A. de C.V.

Campo Azul
BLANCO Y REPOSADO
P/D Productos Finos de Agave, S.A. de C.V.
100% de agave

Canicas
REPOSADO
P La Cofradía, S.A. de C.V.
D Destiladora Canicas, S.A. de C.V.
100% de agave

Caracol
BLANCO Y REPOSADO
P/D Tequila Centinela, S.A. de C.V.
100% de agave

Casa Noble
REPOSADO
P La Cofradía, S.A. de C.V.
D Excelencia Exports, S.A. de C.V.
100% de agave

Cascahuín
BLANCO, REPOSADO Y AÑEJO
P/D Tequila Cascahuín, S.A.
100% de agave

Casco Viejo
JOVEN
P/D La Arandina, S.A. de C.V.

Catador
BLANCO Y REPOSADO
P/D Catador Alteño, S.A. de C.V.
100% de agave

Catador Alteño
BLANCO Y REPOSADO
P/D Catador Alteño, S.A. de C.V.
100% de agave

Caudillo
P Corporación Ansan, S.A. de C.V.
D Claudia Ahumada Ortega

Cava Antigua
REPOSADO
P Destiladora Azteca de Jalisco, S.A. de C.V.
D Gustavo Eduardo Romero Schmidt
100% de agave

Cava de los Beas
RESERVA ESPECIAL (TRES AÑOS)
P/D Agroindustrias Santa Clara, SPR de RL
100% de agave

Cazadores
REPOSADO
P/D Tequila Cazadores, S.A. de C.V.
100% de agave

Centinela
BLANCO, REPOSADO Y AÑEJO (TRES AÑOS)
P/D Tequila Centinela, S.A. de C.V.
100% de agave

Centinela Imperial
REPOSADO
P/D Tequila Centinela, S.A. de C.V
100% de agave

Chamucos
REPOSADO Y REPOSADO ESPECIAL
P Hernández & Urrutia, S.A. de C.V.
D Ferrer y Asociados, S.A. de C.V.
100% de agave

Chilis
BLANCO Y JOVEN
P La Cofradía, S.A. de C.V.
D Carlos Matta B.

Chinaco
BLANCO, REPOSADO Y AÑEJO
P/D La Gonzaleña, S.A. de C.V.
100% de agave

Chivas
REPOSADO
P/D Tequila Eucario González, S.A. de C.V.
100% de agave

Cimarrón
REPOSADO
P/D Tequileña, S.A. de C.V.
100% de agave

Cinco mayo
BLANCO Y REPOSADO
P Herradura
D Shaw Ross International Importes
100% de agave

Comalteco
REPOSADO
P La Cofradía, S.A. de C.V.
D Carlos César Romero
100% de agave

Con Orgullo
REPOSADO Y AÑEJO
P/D Corporación Ansan, S.A. de C.V.
100% de agave

Coronel
REPOSADO
P La Cofradía, S.A. de C.V.
D Agroservicios Nacionales, S.A. de C.V.
100% de agave

Corralejo
BLANCO Y REPOSADO
P Tequilera Corralejo, S.A. de C.V.
D Rockefeller, S.A. de C.V.
100% de agave

Cristeros
REPOSADO
P/D Comercializadora de Agaves, S.A. de C.V.
100% de agave

Cuernito
BLANCO Y JOVEN
P/D Tequila Cascahuín, S.A. de C.V.

Cuervo Blanco
BLANCO
P Tequila Cuervo, S.A. de C.V.
D Casa Cuervo, S.A. de C.V.

Cuervo Especial
REPOSADO Y JOVEN
P Tequila Cuervo, S.A. de C.V.
D Casa Cuervo, S.A. de C.V.

D'Antaño
AÑEJO
P/D Tequila Siete Leguas, S.A. de C.V.
100% de agave

De los Altos
REPOSADO
P La Cofradía, S.A. de C.V.
D Tequilera de los Altos, S.A. de C.V.
100% de agave

De los Dorados
BLANCO Y JOVEN
P/D La Cofradía, S.A. de C.V.

Del Terrajal
BLANCO, REPOSADO Y AÑEJO
P La Cofradía, S.A. de C.V.
D Dincex de Jalisco, S.A. de C.V.
100% de agave

Delicias
REPOSADO
P Tequila Eucario González, S.A. de C.V.
D J. Jesús Fernández Comparán
100% de agave

D'Reyes
BLANCO, REPOSADO Y AÑEJO
P/D J. Jesús Reyes Cortés
100% de agave

Diligencia
BLANCO
P/D Tequilas del Señor, S.A. de C.V.

Don Alejo
BLANCO Y REPOSADO
P/D Agave Tequilana Productores y Comercializadores, S.A. de C.V.
100% de agave

Don Álvaro
P/D Industrializadora Integral del Agave, S.A. de C.V.

Don Basilio
BLANCO, REPOSADO Y AÑEJO
P Tequila Sierra Brava, S.A. de C.V.
D Corporación de Negocios Internacionales, S.A. de C.V.
100% de agave

Don Benito
REPOSADO
P Fábrica de Aguardientes de Agave La Mexicana, S.A. de C.V.
P Eduardo López
100% de agave

Don Camilo
REPOSADO
P La Cofradía, S.A. de C.V.
D Cabo Distributing
100% de agave

Don Jesús
REPOSADO Y RESERVA FAMILIAR
P/D J. Jesús Reyes Cortés
100% de agave

Don Julio
BLANCO, REPOSADO Y AÑEJO
P/D Tequila Tres Magueyes, S.A. de C.V.
100% de agave

Don Julio Real
AÑEJO
P/D Tequila Tres Magueyes, S.A. de C.V.
100% de agave

Don Marcial
REPOSADO
P La Cofradía, S.A. de C.V.
D Agaves, S.A. de C.V.
100% de agave

Don Mariano
BLANCO, REPOSADO Y AÑEJO
P La Cofradía, S.A. de C.V.
D Agaves S.A. de C.V.
100% de agave

Don Paco

AÑEJO

P/D Tequilera La Gonzaleña, S.A. de C.V.
100% de agave

Don Primo

REPOSADO

P La Cofradía, S.A. de C.V.
D Agaves, S.A. de C.V.
100% de agave

Don Quixote

BLANCO Y JOVEN

P/D Tequila El Viejito, S.A. de C.V.

Don Ramón

REPOSADO

P/D Tequilera Don Ramón, S.A. de C.V.
100% de agave

Don Salvador's

BLANCO, REPOSADO Y AÑEJO

P/D Grupo Internacional Salvador's, S.A. de C.V.
100% de agave

Don Tacho

REPOSADO

P Tequila Parreñita, S.A. de C.V.
D Panamericana Abarrotera, S.A. de C.V.
100% de agave

Doña Carlota

BLANCO, REPOSADO Y AÑEJO

P Tequila El Viejito, S.A. de C.V.
D Cavas Vamer, S.A. de C.V.

Dos Amigos

REPOSADO

P/D La Arandina, S.A. de C.V.
100% de agave

Dos Coronas

BLANCO Y REPOSADO

P Tequilas del Señor, S.A. de C.V.
D Licores Veracruz, S.A. de C.V.

El Andariego

BLANCO Y JOVEN

P Tequila Eucario González, S.A. de C.V.
D Cava El Andariego, S.A. de C.V.

El Arriero

JOVEN

P/D Tequila Cascahuín, S.A. de C.V.

El Conquistador

BLANCO Y BLANCO SUAVE, REPOSADO Y AÑEJO

P Agroindustria de Guadalajara, S.A. de C.V.
P Cavas Vamer, S.A. de C.V.

El Charro

REPOSADO, GRAN RESERVA Y GRAN REPOSADO

P/D Tequilera Rústica de Arandas, S.A. de C.V.
100% de agave

El Chorrito

BLANCO, REPOSADO

P/D José Ascención Sandoval Villegas
100% de agave

El Corral

BLANCO Y REPOSADO

P Fábrica de Aguardientes de Agave La Mexicana, S.A. de C.V.
D Tequila El Corral, S.A. de C.V.
100% de agave

El Destilador

REPOSADO

P/D Tequilera Newton e Hijos, S.A. de C.V.
100% de agave

El Gran Conquistador

AÑEJO

P Agroindustria Guadalajara, S.A. de C.V.
P Cavas Vamer, S.A. de C.V.
100% de agave

El Gran Viejo

AÑEJO

P/D Destiladora Azteca de Jalisco, S.A. de C.V.
100% de agave

El Grito

JOVEN

P La Cofradía, S.A. de C.V.
P KGS, S.A. de C.V.
100% de agave (el blanco)

El Jimador

BLANCO Y REPOSADO

P/D Tequila Herradura, S.A. de C.V.
100% de agave

El Puente Viejo

REPOSADO

P Tequilera Newton e Hijos, S.A. de C.V.
D Redes, S.A. de C.V.
100% de agave

El Rancho de Nuevo Laredo

P Industrializadora San Isidro, S.A. de C.V.
D Comercializadora Zapata, S.A. de C.V.

El Reformador

BLANCO, SUAVE Y REPOSADO

P Destiladora Azteca de Jalisco, S.A. de C.V.
D Comercializadora Aranto, S.A. de C.V.
100% de agave

El Sol de Pénjamo

REPOSADO

P Tequilera Corralejo, S.A. de C.V.
D Comercializadora Falcón, S.A. de C.V.
100% de agave

El Tequileño

BLANCO

P/D Jorge Salles Cuervo y Sucesores, S.A. de C.V.

El Tequileño Especial
REPOSADO
P/D Jorge Salles Cuervo y
Sucesores, S.A. de C.V.
100% de agave

El Tesoro de Don Felipe
BLANCO, REPOSADO Y AÑEJO
P Tequila Tapatío, S.A. de C.V.
D Reserva de Reservas, S.A.
100% de agave

El Viejito
BLANCO, REPOSADO Y AÑEJO
P/D Tequila El Viejito, S.A. de C.V.
100% de agave

Eucario
BLANCO, REPOSADO Y AÑEJO
P/D Tequila Eucario González,
S.A. de C.V.
100% de agave

Farias
REPOSADO Y AÑEJO
P/D Destilería Farias, S.A. de C.V.
100% de agave

Frontera
BLANCO Y JOVEN
P Tequila Eucario González,
S.A. de C.V.
D Fábrica de Tequila Tlaquepaque,
S.A. de C.V.

Garrafa Azul
REPOSADO
P Agave Tequilana, Productores y
Comercializadores, S.A. de C.V.
D B. R. W. Promociones, S.A. de C.V.
100% de agave

Galardón
REPOSADO
P Tequila Sauza, S.A. de C.V.
D Casa Pedro Domecq, S.A. de C.V.
100% de agave

Gallo de Oro
BLANCO, JOVEN Y REPOSADO
P/D Compañía Destiladora
de Acatlán, S.A. de C.V.
100% de agave (el reposado)

García
BLANCO Y JOVEN
P/D Tequilas del Señor, S.A. de C.V.

Gemma
REPOSADO Y BLANCO
P/D La Cofradía, S.A. de C.V.
100% de agave

Goyri
AÑEJO
P La Cofradía, S.A. de C.V.
D La Cava del Señor, S.A. de C.V.
100% de agave

Gran Centenario
PLATA, REPOSADO, AÑEJO Y
GRAN RESERVA
P Fábrica Los Camichines
D Casa Cuervo, S.A. de C.V.
100% de agave

Hacienda de Don Diego
REPOSADO
P Tequila Eucario González,
S.A. de C.V.
D Cavas Real, S.A. de C.V.
100% de agave

Hacienda de Tepa
JOVEN Y REPOSADO
P/D Tequilera Rústica de Arandas,
S.A. de C.V.
100% de agave

Haciendas
BLANCO Y REPOSADO
P Agroindustrias Santa Clara S.P.R.
de R.L.
D Fortaleza Comercializadora y
Exportadora, S.A. de C.V.
100% de agave

Halcón Dorado
REPOSADO
P/D Tequila Eucario González,
S.A. de C.V.
100% de agave

Herencia
AÑEJO
P/D Tequilas del Señor, S.A. de C.V.
100% de agave

Herencia de Oro
GOLD
P/D Tequilas del Señor, S.A. de C.V.
100% de agave

Herencia de Plata
REPOSADO
P/D Tequilas del Señor, S.A. de C.V.
100% de agave

Herencia del Señor
REPOSADO
P/D Tequilas del Señor, S.A. de C.V.
100% de agave

Herradura Antiguo
REPOSADO
P/D Tequila Herradura, S.A. de C.V.
100% de agave

Herradura Añejo
AÑEJO
P/D Tequila Herradura, S.A. de C.V.
100% de agave

Herradura Blanco
BLANCO
P/D Tequila Herradura, S.A. de C.V.
100% de agave

Herradura Blanco Suave
BLANCO SUAVE
P/D Tequila Herradura, S.A. de C.V
100% de agave

Herradura Reposado
REPOSADO
P/D Tequila Herradura, S.A. de C.V.
100% de agave

Herradura Selección Suprema
AÑEJO
P/D Tequila Herradura, S.A. de C.V.
100% de agave

Hipódromo
REPOSADO
P/D La Arandina, S.A. de C.V.
100% de agave

Honorable
BLANCO Y REPOSADO
P/D Corporación Ansan,
S.A. de C.V.
100% de agave

Imperial
BLANCO, REPOSADO Y AÑEJO
P La Cofradía, S.A. de C.V.
D Tequila Imperial, S.A. de C.V.
100% de agave

Jarro Viejo
REPOSADO
P/D Destiladora La Barranca,
S.A. de C.V.
100% de agave

Jorge Ruiz
AÑEJO
P/D Tequila Parreñita, S.A. de C.V.
100% de agave

Jornalero
REPOSADO
P Tequilera Corralejo, S.A. de C.V.
D Tequilera Jornalero, S.A. de C.V.
100% de agave

J.R.
BLANCO Y REPOSADO
P Tequila Parreñita, S.A. de C.V.
D Vicente Méndez

J.R. Jesús Reyes
BLANCO Y REPOSADO
P/D Tequila D'Reyes, S.A. de C.V.
100% de agave

Jalisciense
REPOSADO Y AÑEJO
P Agroindustria Guadalajara,
S.A. DE C.V.
D Vinícola Jalisciense, S.A. de C.V.
100% de agave

Jalisco Alegre
REPOSADO
P La Cofradía, S.A. de C.V.
D Comercializadora Internacional
Tequilera de Jalisco, S.A. de C.V.
100% de agave

Jarana
REPOSADO
P/D La Madrileña, S.A. de C.V.
100% de agave

Jorongo
BLANCO
P Tequila Viuda de Romero,
S.A. de C.V.
D Productos de Uva, S.A. de C.V.

José Cuervo Tradicional
REPOSADO
P Tequila Cuervo, S.A. de C.V.
P Casa Cuervo, S.A. de C.V.
100% de agave

Juárez
BLANCO, REPOSADO Y AÑEJO
P/D Destiladora González
González, S.A. de C.V.

La Boom
BLANCO Y JOVEN
P La Cofradía, S.A. de C.V.
D Nueva Diversión, S.A. de C.V.
100% de agave (el blanco)

La Casa de Jalisco
REPOSADO
P Fábrica La Laja
D Juan Corral
100% de agave

La Cava del Villano
BLANCO Y REPOSADO
P La Cofradía, S.A. de C.V.
D Digran's, S.A. de C.V.
100% de agave (el reposado)

La Cava de Don Agustín
RESERVA
P/D La Arandina, S.A. de C.V.
100% de agave

La Cofradía
BLANCO, REPOSADO Y AÑEJO
P/D La Cofradía, S.A. de C.V.
100% de agave

La Cofradía Flower
REPOSADO
P/D La Cofradía, S.A. de C.V.
100% de agave

La Cofradía Iguanas
REPOSADO
P/D La Cofradía, S.A. de C.V.
100% de agave

La Cuarta Generación
P Corporación Ansan, S.A. de C.V.
D Guadalupe Roxana Sauza C.

La Cucaracha
REPOSADO
P Tequilera Corralejo, S.A. de C.V.
D Comercializadora Gastronómica
PELFER, S.A. de C.V.
100% de agave

La Fortuna
P Tequilera Newton e Hijos,
S.A. de C.V.

La Hormiga
REPOSADO
P/D La Cofradía, S.A. de C.V.
100% de agave

La Montura
REPOSADO
P La Cofradía, S.A. de C.V.
D Rafael Victoria Magallanes
100% de agave

La Puerta Negra
P/D Tequilera Newton e Hijos,
S.A. de C.V.

La Tarea
BLANCO Y REPOSADO
P/D Destiladora de Agave Azul, S.A.
de C.V.
100% de agave

Leyenda del Agave
REPOSADO Y AÑEJO
P La Cofradía, S.A. de C.V.
D Dincex de Jalisco, S.A. de C.V.
100% de agave

Nativo
BLANCO, REPOSADO Y AÑEJO
P/D Agroindustrias Santa Clara,
SPR de RL
100% de agave

La Parreñita
BLANCO, JOVEN Y ABOCADO
P/D Tequila Parreñita, S.A. de C.V.

La Perseverancia
REPOSADO
P Hacienda La Perseverancia
100% de agave

La Savia de mi Tierra
REPOSADO
P Fábrica de Aguardientes de
Agave La Mexicana, S.A. de C.V.
D CPS, S.A. de C.V.
100% de agave

Lápiz
AÑEJO
P/D Tequileña, S.A. de C.V.
100% de agave *premium*

Lápiz Platinum
BLANCO
P/D Tequileña, S.A. de C.V.
100% de agave *premium*

Las Trancas
BLANCO Y REPOSADO
P Agroindustria Guadalajara,
S.A. de C.V.
D Tequilera Las Trancas, S.A. de C.V.
100% de agave

Los Arango
BLANCO Y REPOSADO
P Tequilera Corralejo, S.A. de C.V.
D Centro Abarrotero, S.A. de C.V.
100% de agave

Los Azulejos
REPOSADO
P La Cofradía, S.A. de C.V.
D Jalisco Spirits, S.A. de C.V.
100% de agave

Los Cofrades
AÑEJO
P/D La Cofradía, S.A. de C.V.
100% de agave

Los Corrales
BLANCO, JOVEN Y REPOSADO
P/D Tequilera Newton e Hijos,
S.A. de C.V.
100% de agave (el reposado)

Los Kikirikis
P Corporación Ansan,
S.A. de C.V.
D Comercializadora Rincón del
Molino, S.A. de C.V.

Los Valientes
BLANCO Y REPOSADO
P Industrialización y Desarrollo
Santo Tomás, S.A. de C.V.
D Tequila Los Valientes, S.A.
100% de agave

Luna Azul
REPOSADO Y AÑEJO
P La Cofradía, S.A. de C.V.
D Luna Azul
100% de agave

Mamá Pita
El Tequila de la Mujer
JOVEN
P Tequila Parreñita, S.A. de C.V.
D Gloria Eugenia Lara Cepeda

Mapilli
BLANCO Y REPOSADO
P Industrialización de Agave San
Isidro, S.A. de C.V.
D Alicom de México, S.A. de C.V.
100% de agave

Mayorazgo
REPOSADO
P/D La Madrileña, S.A. de C.V.
100% de agave

Maxim's
REPOSADO
P La Cofradía, S.A. de C.V.
D Maxim's México
100% de agave

Mayor
BLANCO Y REPOSADO
P/D Destiladora González
González, S.A. de C.V.
100% de agave

Mexicanísimo
P Corporación Ansan, S.A. de C.V.
D Pueblito Cantina, S.A. de C.V.

México Viejo
REPOSADO
P/D Fábrica de Aguardientes de
Agave La Mexicana, S.A. de C.V.
100% de agave

Miravalle
BLANCO, REPOSADO
P/D Agaveros Unidos de Amatitán,
S.A. de C.V.
100% de agave

Mi Viejo
AÑEJO
P Tequila El Viejito, S.A. de C.V.
D Destiladora Cavas Vamer,
S.A. de C.V.
100% de agave

Newton
BLANCO Y JOVEN
P/D Tequilera Newton e Hijos,
S.A. de C.V.

Noble
JOVEN
P/D Tequila Eucario González,
S.A. de C.V.

Nueva Era
REPOSADO
P La Cofradía, S.A. de C.V.
D Elexport, S.A. de C.V.
100% de agave

Ohrner Co.
JOVEN
P Tequilera Newton e Hijos,
S.A. de C.V.
D HOCJ Ohrner
MIXTO

Ojo de Agua
BLANCO
P/D Tequila San Matías de Jalisco,
S.A. de C.V.

Olé
BLANCO
P/D Tequila San Matías de
Jalisco, S.A. de C.V.

Orendain
BLANCO, EXTRA JOVEN, REPOSADO
Y AÑEJO
P/D Tequila Orendain de Jalisco,
S.A. de C.V.
100% de agave

Orendain Ollitas
REPOSADO
P/D Tequila Orendain de Jalisco,
S.A. de C.V.
100% de agave

Oro Azul
BLANCO Y REPOSADO
P Agave Tequilana Productores y
Comercializadores, S.A. de C.V.
D Distribuidora Vivaz, S.A. de C.V.
100% de agave

Oro Viejo
BLANCO
P/D Tequilas del Señor, S.A. de C.V.

Ortigoza
REPOSADO
P La Cofradía, S.A. de C.V.
D Comercializadora Edga,
S.A. de C.V.
100% de agave

Parranderos
P Corporación Ansan, S.A. de C.V.
D Guillermina Jiménez Zavala

Partida
REPOSADO Y AÑEJO
P/D Agaveros Unidos de
Amatitán, S.A. de C.V.
100% de agave

Pedro Infante
REPOSADO
P Tequila Eucario González,
S.A. DE C.V.
D Pedro Infante Internacional,
S.A. DE C.V.
100% de agave

Pepe López
BLANCO
P/D Tequila San Matías de
Jalisco, S.A. de C.V.

Penca Azul
BLANCO Y JOVEN
P/D Tequila Parreñita, S.A. de C.V.

Pepe Vinora
REPOSADO
P/D La Cofradía, S.A. de C.V.
100% de agave

Pico de Gallo
REPOSADO
P/D Tequilera Corralejo, S.A. de C.V.
100% de agave

Pitiao
REPOSADO
P/D Tequilera Corralejo, S.A. de C.V.
100% de agave

Poncho Rojo
JOVEN
P Tequila Cascahuín, S.A. de C.V.
D Bacardí y Cía. S.A. de C.V.

Porfidio
REPOSADO Y AÑEJO
P/D Destilería Porfidio, S.A. de C.V.
100% de agave

Pueblo Viejo
BLANCO, REPOSADO Y AÑEJO
P/D Tequila San Matías de Jalisco,
S.A. de C.V.
100% de agave

Puerta Grande
REPOSADO
P Tequila Parreñita, S.A. de C.V.
D José de Jesús Ramírez
100% de agave

Puerto Vallarta
REPOSADO
P/D La Madrileña, S.A. de C.V.
100% de agave

Pura Sangre
BLANCO, REPOSADO, AÑEJO Y GRAN
RESERVA DE 3 AÑOS
P/D Tequileña, S.A. de C.V.
100% de agave *premium*

Quilate
REPOSADO
P/D Destilados Finos, S.A. de C.V.
100% de agave

Quiote
BLANCO Y REPOSADO
P/D Tequila Quiote, S.A. de C.V.
100% de agave

Quita Penas
REPOSADO
P Tequilera Corralejo, S.A. de C.V.
D Grupo IGFA, S.A. de C.V.
100% de agave

RB D'Reyes Aniversario
REPOSADO
P/D Tequila D'Reyes, S.A. de C.V.
100% de agave

RB D'Reyes Oro
REPOSADO
P/D Tequila D'Reyes, S.A. de C.V.
100% de agave

Real de Pénjamo
REPOSADO
P/D Procesadora de Agave
Pénjamo, S.A. de C.V.
100% de agave

Real Hacienda
BLANCO, REPOSADO Y AÑEJO
P Tequila Viuda de Romero,
S.A. DE C.V.
D Productos de Uva, S.A. de C.V.
100% de agave

Real Vallederos
BLANCO Y REPOSADO
P La Cofradía, S.A. de C.V.
D Tequila Real Valledero,
S.A. DE C.V.
100% de agave

Regional
BLANCO, REPOSADO Y AÑEJO
P/D Empresa Ejidal Tequilera
Amatitán
100% de agave

Reserva de Don Alfonso
P Corporación Ansan, S.A. de C.V.
D Cavas de Don Alfonso,
S.A. de C.V.

Revolucionario 501
BLANCO Y REPOSADO
P/D Elaboradora y Procesadora
100% de agave, S.A. de C.V.
100% de agave

Revolución
REPOSADO
P/D Milemiglia, S.A. de C.V.
100% de agave

Reserva Antigua 1800
P/D Casa Cuervo, S.A. de C.V.

Reserva de la Familia
RESERVA
P/D Tequila Cuervo, S.A. de C.V.
100% de agave

Reserva del Dueño
REPOSADO
P/D Tequila El Viejito, S.A. de C.V.
100% de agave

Reserva del Señor
REPOSADO
P/D Tequilas del Señor, S.A. de C.V.
100% de agave

Reserva de Don Elias
REPOSADO
P/D La Cofradía, S.A. de C.V.
100% de agave

Rey
BLANCO Y REPOSADO
P/D J. Jesús Reyes Cortés
100% de agave

Rey de Copas
AÑEJO
P/D Agroindustria Guadalajara,
S.A. de C.V.
100% de agave

Rey Oro
REPOSADO
P/D Tequila D'Reyes, S.A. de C.V.
100% de agave

Río de Plata
AÑEJO
P Tequilas del Señor, S.A. de C.V.
100% de agave

Rivera
REPOSADO Y AÑEJO
P/D Agaveros Unidos de Amatitán,
S.A. de C.V.
100% de agave

Ruiseñor
BLANCO Y REPOSADO
P Vinícola La Estrella, S.A. de C.V.

San Matías
BLANCO, REPOSADO Y GRAN RESERVA
P/D Tequila San Matías de
Jalisco, S.A. de C.V.
100% de agave

Santa Fe
JOVEN Y REPOSADO
P Tequila Santa Fe, S.A. de C.V.
D Jayme de México, S.A. de C.V.
100% de agave

Santa Rosalía
REPOSADO
P La Cofradía, S.A. de C.V.
D Luz María Cabo
100% de agave

Santos
JOVEN
P La Cofradía, S.A. de C.V.
D Luz María Cabo

Sarape
BLANCO Y REPOSADO
P Tequila El Viejito, S.A. de C.V.
D Destiladora Oaxaqueña,
S.A. de C.V.

Sauza Blanco
BLANCO
P Tequila Sauza, S.A. de C.V.
D Casa Pedro Domecq,
S.A. de C.V.

Sauza Conmemorativo
AÑEJO
P Tequila Sauza, S.A. de C.V.
D Casa Pedro Domecq, S.A. de C.V.
100% de agave

Sauza Extra
ABOCADO
P Tequila Sauza, S.A. de C.V.
D Casa Pedro Domecq, S.A. de C.V.

Sauza Hornitos
REPOSADO
P Tequila Sauza, S.A. de C.V.
D Casa Pedro Domecq, S.A. de C.V.
100% de agave

Sauza Tres Generaciones
AÑEJO Y RESERVA ESPECIAL
P Tequila Sauza, S.A. de C.V.
D Casa Pedro Domecq, S.A. de C.V.
100% de agave

Sembrador
BLANCO Y REPOSADO
P Tequila Eucario González,
S.A. de C.V.
D Sergio Cervantes Godoy
100% de agave

Senda Real
BLANCO Y REPOSADO
P Tequila Eucario González,
S.A. de C.V.
D Fábrica de Tequila Tlaquepaque,
S.A. de C.V.
100% de agave

Sevilla La Villa
JOVEN
P/D La Cofradía, S.A. de C.V.

Sierra Brava
REPOSADO
P/D Tequila Sierra Brava,
S.A. de C.V.
100% de agave

Siete Leguas
BLANCO, REPOSADO Y AÑEJO
P/D Tequila Siete Leguas,
S.A. de C.V.
100% de agave

Sombrero Negro
BLANCO
P/D Tequilas del Señor, S.A. de C.V.

Suave Patria
REPOSADO Y AÑEJO
P Tequileña, S.A. de C.V.
D Tequila Patria
100% de agave

Sublime
BLANCO
P/D Corporación Ansan,
S.A. de C.V.

Tahona
ORO
P/D La Arandina, S.A. de C.V.
100% de agave

Tapatío
BLANCO, REPOSADO Y AÑEJO
P Tequila Tapatío, S.A. de C.V.
D Reserva de Reservas, S.A.
100% de agave

Tekio
REPOSADO
P/D La Cofradía, S.A. de C.V.
100% de agave

Tenoch
REPOSADO
P La Cofradía, S.A. de C.V.
D Luz María Cabo
100% de agave

Tepeyac
JOVEN
P La Cofradía, S.A. de C.V.
D Luz María Cabo

Teporocho
REPOSADO
P La Cofradía, S.A. de C.V.
D Casa Tradición, S.A. de C.V.
100% de agave

Tequila 30-30
BLANCO, REPOSADO Y AÑEJO
P/D Agroindustria Guadalajara,
S.A. de C.V.
100% de agave

Tequila 100 Años
REPOSADO
P Hacienda La Perseverancia
100% de agave

Tequila 1910
REPOSADO
P La Cofradía, S.A. de C.V.
D Héctor Corona Galván
100% de agave

Tequila 1921
REPOSADO
P Agave Tequilana Productores y
Comercializadores, S.A. de C.V.
D Vivaz, S.A. de C.V.
100% de agave

Tex Mex
REPOSADO
P Tequilera Corralejo, S.A. de C.V.
100% de agave

Tierra Azteca
REPOSADO
P/D Tequilera Newton e Hijos,
S.A. de C.V.

Tierra Roja
BLANCO Y REPOSADO
P Industrializadora San Isidro,
S.A. de C.V.
D Primetex de Occidente,
S.A. de C.V., Industrializadora
San Isidro, S.A. de C.V.
100% de agave

Torito Legendario
REPOSADO
P/D Agroindustria Guadalajara,
S.A. de C.V.
100% de agave

Tres Alegres Compadres
BLANCO Y REPOSADO
P/D La Cofradía, S.A. de C.V.
100% de agave (el reposado)

Tres Cuatro y Cinco
AÑEJO
P/D Tequileña, S.A. de C.V.
100% de agave

Tres Magueyes
BLANCO Y REPOSADO
P/D Tequila Tres Magueyes,
S.A. de C.V.

Tres Mujeres
BLANCO Y REPOSADO
P/D Jesús Partida Meléndez,
S.A. de C.V.
100% de agave

Tres Ríos
BLANCO, REPOSADO Y AÑEJO
P Tequila Eucario González,
S.A. de C.V.
D Fábrica de Tequila Tlaquepaque,
S.A. de C.V.
100% de agave

Villalobos
JOVEN
P La Cofradía, S.A. de C.V.
D Wine & Spirits International LTD.
100% de agave

Viuda de Romero
BLANCO, JOVEN Y REPOSADO
P Tequila Viuda de Romero,
S.A. de C.V.
D Productos de Uva, S.A. de C.V.

Viuda de Romero Inmemorial
BLANCO
P Tequila Viuda de Romero,
S.A. de C.V.
D Productos de Uva, S.A. de C.V.

Viuda de Sánchez
REPOSADO
P Fábrica Los Camichines
D Casa Cuervo, S.A. de C.V.
100% de agave

Viva México
REPOSADO
P/D Feliciano Vivanco y Asociados,
S.A. de C.V.
100% de agave

Volcán
REPOSADO
P/D Jorge Michel Padilla
100% de agave

Xalisco
BLANCO, REPOSADO Y AÑEJO
P/D Tequileña, S.A. de C.V.

XR Azul
REPOSADO
P Tequila Eucario González,
S.A. de C.V.
D Cavas Real, S.A. de C.V.
100% de agave

Zafarrancho
BLANCO Y REPOSADO
P Corporación Ansan, S.A. de C.V.
D Impulsora Rombo, S.A. de C.V.
100% de agave

Zapata
JOVEN Y BLANCO
P/D Tequileña, S.A. de C.V.

Zapopan
JOVEN
P La Cofradía, S.A. de C.V.
D Luz María Cabo

1000 Agaves
BLANCO
P Tequila Santa Fe, S.A. de C.V.
D Jayme de México, S.A. de C.V.
100% de agave

Sangritas Don Salvador's
P/D Grupo Internacional
Salvador's, S.A. de C.V.

Sangrita El Jimador
P/D Tequila Herradura, S.A. de C.V.

Sangrita García
P Tequilas del Señor, S.A. de C.V.
D Europea de Bebidas en España

Sangrita Sauza
P Tequila Sauza, S.A. de C.V.
D Casa Pedro Domecq,
S.A. de C.V.

Sangrita Viuda de Romero
natural
P Tequila Viuda de Romero, S.A.
D Productos de Uva, S.A. de C.V.

Sangrita Viuda de Romero
picante
P Tequila Viuda de Romero, S.A.
D Productos de Uva, S.A. de C.V.

Viuda de Sánchez
P Productos Sanos de Chapala,
S.A. de C.V.
D Casa Cuervo, S.A.

Elíxires de Agave
Agave Elixirs

Capricho
REPOSADO, AÑEJO Y MADURADO
P/D Tequilas de la Doña,
S.A. de C.V.

Don Maximiliano
REPOSADO Y AÑEJO
P/D Tequilas de la Doña,
S.A. de C.V.

Cremas y licores de tequila
Tequila Liqueurs& Creams

Agavero
LICOR DE TEQUILA
P Fábrica Los Camichines
D Casa Cuervo, S.A. de C.V.

Café Reserva del Señor
LICOR DE CAFÉ
P/D Tequilas del Señor, S.A. de C.V.

Crema Orendain
CREMA DE ALMENDRA Y MEMBRILLO
P/D Tequila Orendain de Jalisco,
S.A. de C.V.

Crema RB D'Reyes
CREMA DE CAFÉ, ALMENDRA, DURAZNO,
MEMBRILLO Y ZARZAMORA
P/D Tequila D'Reyes, S.A. DE C.V.

D'Reyes
LICOR DE CAFÉ Y ALMENDRA
P/D Tequila D'Reyes, S.A. DE C.V.

Don Pancho
LICOR DE CAFÉ, ALMENDRA, LIMÓN Y
MEMBRILLO
P/D La Madrileña, S.A. de C.V.

La Cofradía
LICOR DE ALMENDRA, ANÍS, CAFÉ,
CANELA, DURAZNO, LIMÓN, MEMBRILLO,
NARANJA, GRANADA
P/D La Cofradía, S.A. de C.V.

La Pinta
LICOR DE GRANADA
P/D Casa Tradición, S.A. de C.V.

Onix
LICOR DE CAFÉ
P La Cofradía, S.A. de C.V.
D KGS Internacional, S.A. de C.V.

Tekali
LICOR DE CAFÉ
P/D Tequilas del Señor, S.A. de C.V.

Tonatiuh
LICOR DE CAFÉ
P La Cofradía, S.A. de C.V.
D Luz María Cabo

Marcas extranjeras de tequila
Non-Mexican Labels:
Pp: Propietario /**P**: Productor
Pp: *Owner* / **P**: *Producer*

Acapulco
Pp Le Vecke.
P Tequila Eucario González,
S.A. de C.V.

Albertson's
Pp Florida Distillers, CO.
P Tequila Eucario González,
s.a. de c.v.

Aniversario
Pp Tequila Orendain de Jalisco,
S.A. de C.V.

Arandas
Pp Heaven Hill Distilleries, Inc.
P La Madrileña, S.A. de C.V.

Aristocrático
Pp Heaven Hill Destilleries.
P Tequila Orendain de Jalisco, S.A.
de C.V.

Arriba
Pp Tequilas del Señor, S.A. de C.V.

Artesano
Pp Rolando Lionel
P Tequileña, S.A. de C.V.

Auténtico
P Tequilas del Señor, S.A. de C.V.

Azteca
P Destiladora González González, S.A. de C.V.

Bam Bam
P Tequila Eucario González, S.A. de C.V.

Bandolero
Pp Franklin Distillers Prod. LTD
P La Madrileña, S.A. de C.V.

Bardon D'Arignac
P Tequilas del Señor, S.A. de C.V.

Beamero
Pp Jim Beam Brands
P La Madrileña, S.A. de C.V. y Tequila San Matías de Jalisco, S.A. de C.V.

Bicentenario
Pp Heublein
P Tequila Cuervo

Black Death
Pp Cabo Distributing
P Tequila Eucario González, S.A. de C.V.

Black Hat
Pp Trilll Distributing Inc. DBA Le Vecke
P Tequila Eucario González, S.A. de C.V.

Bowman's
Pp Smith Bowman and Amerex
P La Madrileña, S.A. de C.V.

Cacama
P Destiladora González y González, S.A. de C.V.

Calende
Pp U.S. Distilled Products
P Tequila El Viejito, S.A. de C.V.

Cancún
Pp Wm Grant and Sons
P Tequila Orendain de Jalisco, S.A. de C.V.

Canixta
Pp Sardet et Deribaucort
P Tequila Orendain de Jalisco, S.A. de C.V.

Caporales
P Tequila El Viejito, S.A. de C.V.

Carlos
P La Madrileña, S.A. de C.V.

Carruaje
Pp Germán de Zulueta Correa
P Tequilera Newton e Hijos, S.A. de C.V.

Casa Gallardo
Pp David Sherman
P Destiladora González González, S.A. de C.V.

Casa Grande
Pp Casa Madero, S.A.
P Tequilera Newton e Hijos, S.A. de C.V.

Casa Roja
Pp Destilerías del Penedes, S.A.
P Tequila Eucario González, S.A. de C.V.

Casta
P Tequileña, S.A. de C.V.

Casta Brava
Pp Zuma Importing Comp. / Gpo.
P Tequilera Newton e Hijos, S.A. de C.V.

Casta Oro
Pp Zuma Importing Comp. / Gpo.
P Tequilera Newton e Hijos, S.A. de C.V.

Casteneda
Pp Distillery Stock USA
P La Madrileña, S.A. de C.V.

Centennial
Pp David Sherman
P Destiladora González González, S.A. de C.V.

Centinela Imperial
Pp El Dorado Imports
P Centinela

Chapala
Pp Selection Difution Vente
P Tequilas del Señor, S.A. de C.V.

Charro de Oro
Pp Agroindustria Guadalajara

Chente
P Tequila Tres Magueyes, S.A. de C.V.

Cholula
Pp Destilleras de Villafranca
P Tequila El Viejito, S.A. de C.V.

Chupa Cavas
Pp Germán de Zulueta Correa
P Tequilera Newton e Hijos, S.A. de C.V.

Colorin
P Tequila Eucario González, S.A. de C.V.

Coronado
Pp Paramount
P La Madrileña, S.A. de C.V.

Coyote
Pp Seagram de México
P Tequila Orendain de Jalisco, S.A. de C.V.

Cuernavaca
P Tequila Eucario González, S.A. de C.V.

Cuervo Rojo
Pp Heublein
P Tequila Cuervo

D.J. Ramírez
P Tequila Viuda de Romero, S.A. de C.V.

D.J. Ramírez Histórico
P Tequila Viuda de Romero, S.A. de C.V.

Dalia
P Tequila Eucario González, S.A. de C.V.

Del Campo
Pp William Grant and Sons
P Tequila Orendain de Jalisco, S.A. de C.V.

Del Mayor
P Destiladora González González, S.A. de C.V.

Del Prado
Pp William Grant and Sons
P Tequila Orendain de Jalisco, S.A. de C.V.

Distiller's Pride
Pp Heaven Hill
P Tequila Orendain de Jalisco, S.A. de C.V.

Distinqt.
Pp Munico International
P Tequila El Viejito, S.A. de C.V.

Don Agave
PP Frule, S.A. de C.V.
P Tequilera Newton e Hijos, S.A. de C.V.

Don Andrés
Pp Felipe Barba Franco
P Tequilera Newton e Hijos, S.A. de C.V.

Don Federico
P Tequila Eucario González, S.A. de C.V.

Don Margarito
P Tequila Eucario González, S.A. de C.V.

Don Serapio
P Tequilas del Señor, S.A. de C.V.

Dos Reales
Pp Heublein
P Tequila Cuervo

Durango
Pp Wm Grant and Sons
P Tequila Orendain de Jalisco, S.A. de C.V.

El Bandido
Pp William Grant and Sons
P Tequila Orendain de Jalisco, S.A. de C.V.

El Barzón
Pp Export. Las Pastoras
P Productos Finos de Agave, S.A. de C.V.

El Cid
Pp David Sherman
P Destiladora González González, S.A. de C.V.

El Cobrizo
Pp La Vallesana
P Tequila Orendain de Jalisco, S.A. de C.V.

El Palenque
Pp Dist. De Villafranca
P Tequila El Viejito, S.A. de C.V.

El Toro
Pp U.S. Distilled Products
P Tequila Orendain de Jalisco, S.A. de C.V.

Especial Newton
P Tequilera Newton e Hijos, S.A. de C.V.

Espuela
Pp Anton Riemerschmid
P Destiladora González González, S.A. de C.V.

Exact
Pp Intercambio Comercial de Servicios
P Tequilera Newton e Hijos, S.A. de C.V

Fandango
Pp Illya Saronno
P Tequila Orendain de Jalisco, S.A. de C.V.

Federal
Pp Destilerías Carthago, S.A.L.
P Destiladora González González, S.A. de C.V

Fierro
Pp Casa Madero
P Tequilera Newton e Hijos, S.A. de C.V.

Fire Water
Pp White Rock Distilleries, Inc.
P Destiladora González González, S.A. de C.V

Fonda Blanco
Pp David Sherman
P Destiladora González González, S.A. de C.V.

Gallo Giro
Pp Domecq Imports
P Tequila Sauza, S.A. de C.V.

Gascon
P Tequila Eucario González, S.A. de C.V.

Gavilán
Pp David Sherman
P Destiladora González González, S.A. de C.V.

Giro
Pp Domecq Imports
P Tequila Sauza, S.A. de C.V.

Gomez
Pp Florida Distillers, Co. Div. Tohunter Int.
Pp Tequila Orendain de Jalisco, S.A. de C.V

Grand Linar
P Tequilas del Señor, S.A. de C.V

Gringo's
Pp Campbell Meyer
P Tequila Orendain de Jalisco, S.A. de C.V.

Gusano Real
Pp Grupo Tequilero Internacional
P Tequileña, S.A. de C.V

Hacienda
Pp David Sherman
P Destiladora González González,
S.A. de C.V.

Henri Vallet
Pp Compañía Destiladora
P Tequila El Viejito, S.A. de C.V.

Hombre
Pp Inchcape Liquor
P Tequila El Viejito, S.A. de C.V.

Hot Horongo
Pp Antonio Fernández
P Tequila Viuda de Romero,
S.A. de C.V.

Hussong's
P Tequila El Viejito, S.A. de C.V.

Ixtapa
Pp Societé d'Exportation
P Tequila El Viejito, S.A. de C.V.

J.R. Jaime Rosales
Pp Franzia Imports
P Tequila Parreñita, S.A. de C.V.

Jalisco
Pp Selection Difution Vente
P Tequilas del Señor, S.A. de C.V

James Mason
Pp William Grant and Sons
P Tequila Orendain de Jalisco, S.A.
de C.V.

Javelina
Pp William Grant and Sons
P Tequila Orendain de Jalisco,
S.A. de C.V.

José Cortés
Pp Charles Jacquinís and Cie, Inc
P Tequilas del Señor, S.A. de C.V.

José Gaspar
Pp Tequilas del Señor, S.A. de C.V.

José Mandes
Pp U.S. Distilled Products
P Tequila El Viejito, S.A. de C.V.

José Paco
Pp Paramount
P La Madrileña, S.A. de C.V.

La Arenita
Pp Compañía Tequilera
P J. Jesús Reyes Cortés

La Capa
Pp Ylldal import GMBH
P La Cofradía, S.A. de C.V.

La Paz
Pp Le Vecke
P Tequila Eucario González,
S.A. de C.V., Tequila San Matías de
Jalisco, S.A. de C.V.

La Piedrecita
Pp Tequilas del Señor

La Prima
Pp Paramount
P La Madrileña, S.A. de C.V.

La Rojeña
Pp Heublein
P Tequila Cuervo

Las Flores
Pp Tequila Eucario González,
S.A. de C.V.

Las Potrancas
P Jesús Partida Meléndez

Ley
Pp Nacional Vinícola
P Tequilas del Señor, S.A. de C.V.

Ligador
Pp Germán de Zulueta Correa
P Tequilera Newton e Hijos,
S.A. de C.V.

Limitado
Pp Tequila Eucario González,
S.A. de C.V..

Los Juanes
Pp Destiladora González González,
S.A. de C.V.

Los Ruiz
Pp Seagram's de México
P Tequila Orendain de Jalisco, S.A.
de C.V.

Magique
Pp Le Vecke Corporation
P La Madrileña, S.A. de C.V.

Margalime
Pp Tequilas del Señor, S.A. de C.V.

Mariachi
Pp Seagram's de México
P Tequila Orendain de Jalisco, S.A.
de C.V.

Mariscal
Pp SVS La Martiniquarse
P La Cofradía, S.A. de C.V.

Matador
Pp José Cuervo International
P Tequila Cuervo

McCormick
Pp McCormick
P Tequila El Viejito, S.A. de C.V.,
Eucario, Tequila Orendain de
Jalisco, S.A. de C.V.

Mercian
Pp Okura
P Tequila El Viejito, S.A. de C.V.

Mestizo
Pp International Wines & Spirits
P Tequilas del Señor, S.A. de C.V.

Mexicali
Pp Tequila San Matías de Jalisco,
S.A. de C.V.

Mexican Gold
Pp Jenkins Spirits
P Tequila Orendain de Jalisco,
S.A. de C.V.

Mexican Silver
Pp Jenkins Spirits
P Tequila Orendain de Jalisco, S.A. de C.V.

Mexican Sunrise
Pp Tequila Ben F. Medey & Co. Kentucky Distillers, Inc.
P Destiladora González González, S.A. de C.V.

Mico
Pp Maarten Spirits Limited
P Tequilas del Señor, S.A. de C.V.

Miguel
Pp Paramount
P La Madrileña, S.A. de C.V.

Miramontes
Pp J. Jesús Partida Meléndrez

Moctezuma
Pp Barton Brands
P Destiladora González González, S.A. de C.V., La Madrileña, S.A. de C.V.

Monarch
Pp Hood River
P Tequila Orendain de Jalisco, S.A. de C.V.

Montego
Pp C. Heinrich Quast
P Tequila Orendain de Jalisco, S.A. de C.V.

Montejano
Pp Destilerías del Penedes, S.A.
P Tequila Eucario González, S.A. de C.V.

Northfield
Pp William Grant and Sons
P Tequila Orendain de Jalisco, S.A. de C.V.

Ohrner Co.
Pp HCJ
P Tequilera Newton e Hijos, S.A. de C.V.

Old Mexico
Pp Highwood Distillers
P Tequila Eucario González, S.A. de C.V.

Olmeca
Pp Seagram de México
P Tequila Orendain de Jalisco, S.A. de C.V.

Pacal de Palenque
Pp Dumont Wines and Spirits
P Tequilas del Señor, S.A. de C.V.

Pájaro Rojo
Pp Franklin Distillers Products, LTD.
P La Madrileña, S.A. de C.V.

Peneranda
Pp Bodegas Queretano
P Tequila Parreñita, S.A. de C.V.

Peneranda Especial
Pp Bodegas Queretano
P Tequila Parreñita, S.A. de C.V.

Pepe López
Pp Brown Forman
P Tequila San Matías de Jalisco, S.A. de C.V.

Playa Blanca
Pp Selection Difution Vente
P Tequilas del Señor, S.A. de C.V.

Poland Spring
Pp White Rock
P Destiladora González González, S.A. de C.V.

Portales
Pp Tequila Eucario González, S.A. de C.V.

Posadas
Pp Tequila Eucario González, S.A. de C.V.

Potter's
Pp International Potter
P La Madrileña, S.A. de C.V., Tequila Eucario González, S.A. de C.V.

Puerto Vallarta
Pp Franklin Distillers Products, LTD.
P La Madrileña, S.A. de C.V.

Quito
P Tequilas del Señor, S.A. de C.V.

Ralph's
P Tequila Eucario González, S.A. de C.V.

Reserva del Dueño
Pp William Grant and Sons
P El Viejito

Reserva Privada
Pp Destiladora González González, S.A. de C.V.

Río Baja
Pp David Sherman
P Destiladora González González, S.A. de C.V.

Río Grande
Pp McCormick
P Tequilas del Señor, S.A. de C.V.

Río Lerma
Pp Tequila Eucario González, S.A. de C.V.

Rockport
Pp White Rock
P Destiladora González González, S.A. de C.V.

Royal Guest
Pp Franklin Distillers Products, LTD.
P La Madrileña, S.A. de C.V.

Santa Cruz y Dis.
P Tequila Eucario González, S.A. de C.V.

Save On
P Tequila Eucario González, S.A. de C.V..

Señorita Margarita
Pp M.S. Walker, Inc.
P Tequila Orendain de Jalisco, S.A. de C.V.

Shorty's
Pp White Rock
P Destiladora González González, S.A. de C.V.

Si Si
Pp Compañía Tequilera
P Tequila El Viejito, S.A. de C.V.

Sierra
Pp Borko Marken
P Tequila El Viejito, S.A. de C.V.

Sierra Mazmalit
P Tequila San Matías de Jalisco, S.A. de C.V.

Sierra Mezcalita
P Tequila Eucario González, S.A. de C.V.

Silla
P Destiladora González González, S.A. de C.V.

Six-Gun
P Tequilas del Señor, S.A. de C.V.

Skaggs Alpha Beta
P Tequila Eucario González, S.A. de C.V.

Sutton-Club
Pp White Rock
P Destiladora González González, S.A. de C.V.

Tango
Pp J. Manuel Perez Moreno
P Tequileña

Tempo
Pp Jim Beam Brands
P La Madrileña, S.A. de C.V.

Tico
P Tequilas del Señor, S.A. de C.V.

Tierra Viva
P Tequilas del Señor, S.A. de C.V.

Tijuana
Pp Sazerac
P Tequila El Viejito, S.A. de C.V.

Tikal
Pp Cía. Destiladora
P Tequila El Viejito, S.A. de C.V.

Tina
Pp Sazerac
P Tequila El Viejito, S.A. de C.V.

Tolteca
P Destiladora González González, S.A. de C.V.

Topaz
Pp Majestic
P Tequila Orendain de Jalisco, S.A. de C.V.

Torada
Pp Sazerac
P Tequilas del Señor, S.A. de C.V.

Tres Caballos
P Tequilera Rústica de Arandas, S.A. de C.V.

Tres Reyes
P Tequilera Rústica de Arandas, S.A. de C.V.

Tres Ríos
P Tequila El Viejito, S.A. de C.V.

Tucán
P Tequila El Viejito, S.A. de C.V.

Two Fingers
Pp Hiram Walker
P La Madrileña, S.A. de C.V.

Vampiro
Pp Grupo Vampiro
P Tequila Viuda de Romero, S.A. de C.V.

Venganza
Pp Franklin Distillers Products
P La Madrileña, S.A. de C.V.

Viva Miguel Villa!
Pp Compañía Tequilera
P J. Jesús Reyes Cortés

Viva Zapata!
P La Madrileña, S.A. de C.V.

Von's
P Tequila El Viejito, S.A. de C.V.

Xuárez
P Tequila El Viejito, S.A. de C.V.

Yucatán
Pp Cunesier
P Tequila Viuda de Romero, S.A. de C.V.

Zapata
Pp Laird and Company
P Tequila Orendain de Jalisco, S.A. de C.V.

AGAVE TEQUILANA, PRODUCTORES
Y COMERCIALIZADORES S.A. DE C.V.
Calle Acacias 122-F
Rinconada del Sol
45050, Zapopan, Jalisco
Tel. / Fax (3) 647 7144

AGAVEROS UNIDOS DE AMATITÁN,
S.A. DE C.V.
Calle 2 de Abril 11
45380, Amatitán, Jalisco
Tel. (374) 500 57
Fax (374) 507 81

AGROINDUSTRIA GUADALAJARA,
S.A. DE C.V.
Calle San Rafael 350
Colonia Chapalita
45030, Guadalajara, Jalisco
Tel. (3) 647 6400
Fax (3) 122 9788

AGROINDUSTRIAS SANTA CLARA,
SPR DE RL
Francisco I. Madero 57
Barranca de Sta. Clara, 45755
Zacoalco de Torres, Jalisco
Tel. / Fax (3) 811 7238

CASA BERRUECO, S.A. DE C.V.
Rancho La Colmena S/N,
44940, Valle de Gpe., Jalisco
Tel. (3) 645 0121
Fax (3) 645 6793

CASA CUERVO, S.A. DE C.V.
Circunvalación Sur 44-A
Colonia Las Fuentes,
45070 Zapopan, Jalisco
Tel. (3) 634 4477
Fax (3) 634 8893

CATADOR ALTEÑO, S.A. DE C.V.
Rancho Los Ladrillos
47950, Jesús María, Jalisco
Tel. (370) 402 77
Fax (370) 402 27

COMPAÑÍA DESTILADORA DE ACATLÁN,
S.A. DE C.V.
Independencia 157
45700, Acatlán de Juárez, Jalisco
Tel. (377) 201 77

COMERCIALIZADORA DE AGAVES,
S.A. DE C.V.
Paseo San José de Gracia S/N
47800, Tepatitlán, Jalisco

CORPORACIÓN ANSAN, S.A. DE C.V.
Juan Ruiz de Alarcón 127
44140, Guadalajara, Jalisco
Tel. / Fax (3) 630 2022

DESTILADORA AZTECA DE JALISCO,
S.A. DE C.V.
Silverio Nuñez 108
46400, Tequila, Jalisco
Tel. (374) 202 46
Fax (374) 207 19

DESTILADORA DE AGAVE AZUL,
S.A. DE C.V.
Km. 5 Carretera a Chapala
45680, Tlajomulco de
Zúñiga, Jalisco
Tel. / Fax (3) 637 7212

DESTILADORA GONZÁLEZ GONZÁLEZ,
S.A. DE C.V.
Puerto Altata 1131
44330, Guadalajara, Jalisco
Tel. (3) 637 8484
Fax (3) 651 5397

DESTILADORA LA BARRANCA,
S.A. DE C.V.
Independencia 73, Colonia Centro
47800, Tepatitlán, Jalisco
Tel. (474) 218 17, 214 67
Fax (474) 214 57

DESTILADORA LOS MAGOS, S.A. DE C.V.
Av. de las Margaritas 177
Jardines de la Calera
45628, Tlajomulco de
Zúñiga, Jalisco
Tel. (3) 635 5248

DESTILADOS DE AGAVE, S.A. DE C.V.
Comercio 166, Colonia Centro
44180, Guadalajara, Jalisco
Tel. (3) 613 4691
Fax (3) 613 5881

DESTILADOS FINOS, S.A. DE C.V.
Manuel Acuña 2674-303
Colonia Ladrón de Guevara
44640, Guadalajara, Jalisco
Tel. (3) 641 4380
Fax (3) 642 2101

DESTILERÍA FARIAS, S.A. DE C.V.
Mariano Arista 54-53
Colonia Argentina
11230, México, D.F.
Tel. 527 4400 / Fax 527 1858

DESTILERÍA PORFIDIO, S.A. DE C.V.
Km. 12 Carretera Vallarta-Tepic
Las Juntas, 48280
Puerto Vallarta, Jalisco
Tel. (322)125 45
Fax (322) 125 46

ELABORADORA Y PROCESADORA DE
AGAVE Y SUS DERIVADOS, S.A. DE C.V.
Av. Ferrocarril 140
45350, El Arenal, Jalisco.
Tel. (374) 802 75
Fax (374) 800 22

EMPRESA EJIDAL TEQUILERA
AMATITÁN
Camino a la Barranca del
Tecuane S/N
45380, Amatitán, Jalisco
Tel. / Fax (374) 500 43

FÁBRICA DE AGUARDIENTES
100% DE AGAVE LA MEXICANA,
S.A. DE C.V.
Rancho Llano Grande
Km. 2.5 Carretera Arandas-León
47180, Arandas, Jalisco
Tel. (378) 460 51
Fax (378) 460 01

FÁBRICA DE TEQUILA LA TAPATÍA,
S.A. DE C.V.
Colinas de Palatino 3237
Colonia Colinas de Atemajac
45170, Zapopan, Jalisco
Tel. (3) 641 7946

FELICIANO VIVANCO Y ASOCIADOS, S.A. DE C.V.
Km. 2 Carr. Arandas-Tepatitlán
47180, Arandas, Jalisco
Tel. / Fax (378) 307 80

GRUPO INTERNACIONAL SALVADOR'S, S.A. DE C.V.
Reforma 1751-2
Colonia Ladrón de Guevara
44600, Guadalajara, Jalisco
Tel. (3) 616 4224
Fax (3) 615 8798

HACIENDA LA PERSEVERANCIA
Francisco Javier S. 80
46400, Tequila, Jalisco
Tel. (374) 202 43
Fax (3) 379 0692

HERNÁNDEZ AND URRUTIA, S.A. DE C.V.
Calle Colón 16, Colonia Centro
45400, Tonalá, Jalisco
Tel. (3) 683 0211
Fax (3) 683 0652

INDUSTRIALIZACIÓN DE AGAVE SAN ISIDRO, S.A. DE C.V.
Km. 2 Camino a Tepa
47600, San José de Gracia,
Tepatitlán, Jalisco
Tel. (378) 203 61

INDUSTRIALIZACIÓN Y DESARROLLO SANTO TOMÁS, S.A. DE C.V.
Niños Héroes 1976
44160, Guadalajara, Jalisco
Tel. / Fax (3) 826 4881

INDUSTRIALIZADORA INTEGRAL DEL AGAVE, S.A. DE C.V.
López Mateos Sur 4321, Col.
Loma, 44590, Zapopan, Jalisco
Tel. / Fax (3) 631 5533

J. JESÚS REYES CORTÉS
Carretera Internacional 100
46400, Tequila, Jalisco
Tel. (374) 204 47

JDC, S.A. DE C.V.
Av. Del Tequila 1
47180, Arandas, Jalisco
Tel. (378) 459 73
Fax (378) 459 66

J. JESÚS PARTIDA MELÉNDREZ
Calle Zaragoza 34
45380, Amatitán, Jalisco
Tel. / Fax (374) 801 40

JORGE MICHEL PADILLA
Carretera Autlán-Ciudad Guzmán,
Crucero San Juan de Amula,
48700, Municipio de Limón,
Jalisco
Tel. (337) 300 32
Fax (337) 302 50

JORGE SALLES CUERVO Y SUCESORES, S.A. DE C.V.
Leandro Valle 1028
44100, Guadalajara, Jalisco
Tel. (3) 614 9400
Fax (3) 613 0169

JOSÉ ASCENCIÓN SANDOVAL VILLEGAS
Lázaro Cárdenas 6
45350, Arenal, Jalisco
Tel. (374) 800 11, 789 2844

LA ARANDINA, S.A. DE C.V.
Periférico Norte lateral sur 762
45150, Zapopan, Jalisco
Tel. (3) 636 2430
Fax (3) 656 2176

LA COFRADÍA, S.A. DE C.V.
Av. Novelistas 5063
Colonia Jardines Vallarta
44200, Guadalajara, Jalisco
Tel. (3) 673 2443
Fax (3) 673 2492

LA MADRILEÑA, S.A. DE C.V.
Arroz 89
Colonia Sta. Isabel Industrial
09820, México, D.F.
Tel. (5) 582 2222
Fax (5) 581 1767 ext. 376

LA QUINTANEÑA
José María Morelos 285
46400, Tequila, Jalisco
Tel. (374) 200 06

METLALLI, S.A. DE C.V.
Km. 11 Carretera El
Salvador-Chome
45380, Amatitán, Jalisco
Tel. (3) 854 2261

MILEMIGLIA, S.A. DE C.V.
Schiller 417, Col. Chapultepec
Morelos, 11570, México, D.F.
Tel. (5) 203 7836
Fax (3) 545 2122

PROCESADORA DE AGAVE PÉNJAMO, S.A. DE C.V.
Morelos 67, Colonia Centro
36900, Pénjamo, Guanjuato
Tel. (469) 224 50
Fax (469) 211 22

PRODUCTOS FINOS DE AGAVE, S.A. DE C.V.
Km. 1.5 Carretera Jesús
María-Ayotlán
47950, Jesús María, Jalisco
Tel. (370) 400 07
Fax (370) 400 28

RUTH LEDESMA MACÍAS
Dr. Mateo de Regil 49, Colonia El
Briseño, 45230, Zapopan, Jalisco
Tel. / Fax (3) 684 4660

TEQUILA CABALLITO CERRERO, S.A.
Simón Bolívar 186
44140, Guadalajara, Jalisco
Tel. (3) 615 1338
Fax (3) 616 0023

TEQUILA CASCAHUIN, S. A.
Hospital 423
44280, Guadalajara, Jalisco
Tel. / Fax (3) 614 9958

TEQUILA CAZADORES, S.A. DE C.V.
Callejón de Camichín 80
Colonia Santa Anita,
45600, Guadalajara, Jalisco
Tel. (3) 686 4600
Fax (3)686 4600 ext. 114

TEQUILA CENTINELA, S.A. DE C.V.
Francisco Mora 8
47180, Arandas, Jalisco
Tel. (378) 304 68
Fax (378) 309 33

TEQUILA D'REYES, S.A. DE C.V.
Carretera Internacional 100
46400, Tequila, Jalisco
Tel. (374) 204 47
Fax (374) 207 23

TEQUILA EL VIEJITO, S.A. DE C.V.
Eucalipto 2234
44900, Guadalajara, Jalisco
Tel. (3) 812 9092
Fax (3) 812 9590

TEQUILA EUCARIO GONZÁLEZ,
S.A. DE C.V.
Plazuela Himno Nacional 5-A,
46400, Tequila, Jalisco
Tel. (374) 204 70
Fax (374) 204 83

TEQUILA HERRADURA, S.A. DE C.V.
Av. 16 de Septiembre 635,
Colonia Centro
44180, Guadalajara, Jalisco
Tel. (3) 614 0400
Fax (3) 614 0175

TEQUILA ORENDAIN DE JALISCO,
S.A. DE C.V.
Av. Vallarta 6230
45010, Zapopan, Jalisco
Tel. (3) 627 1827
Fax (3) 627 1376

TEQUILA PARREÑITA, S.A. DE C.V.
Av. Alcalde 859
44100, Guadalajara, Jalisco
Tel. / Fax (3) 613 6076

TEQUILA QUIOTE, S.A. DE C.V.
Extramuros 502
San Francisco de Asís,
47750, Atotonilco el Alto, Jalisco
Tel. (391) 725 37
Fax (391) 107 66

TEQUILA R.G., S.A. DE C.V.
Madero 37
46400, Tequila, Jalisco
Tel. (374) 202 60

TEQUILA SAN MATÍAS DE JALISCO,
S.A. DE C. V.
Calderón de la Barca 177
44890, Guadalajara, Jalisco
Tel. (3) 615 0421
Fax (3) 616 1875

TEQUILA SANTA FE, S.A. DE C.V.
Calz. Gobernador Curiel 1708
44910, Guadalajara, Jalisco
Tel. (3) 811 7588
Fax (3) 811 7903

TEQUILA SAUZA, S.A. DE C.V.
Av. Vallarta 3273
44100, Guadalajara, Jalisco
Tel. (3) 679 0600
Fax (3) 679 0690

TEQUILA SIERRA BRAVA, S.A. DE C.V.
Moctezuma 71 PH
Zapopan, Jalisco
Tel. (3) 121 6067

TEQUILA SIETE LEGUAS, S.A. DE C.V.
Av. Independencia 360
47750, Atotonilco el Alto, Jalisco
Tel. (391) 709 96
Fax (391) 718 91

TEQUILA TAPATÍO, S.A.
Álvaro Obregón 35
47180, Arandas, Jalisco
Tel. (378) 304 25
Fax (378) 316 66

TEQUILA TRES MAGUEYES, S.A. DE C.V.
Av. La Paz 2180
44140, Guadalajara, Jalisco
Tel. (3) 616 1571
Fax (3) 615 2161

TEQUILA VIUDA DE ROMERO,
S.A. DE C.V.
José María Morelos 285
46400, Tequila, Jalisco
Tel. (374) 200 06
Fax (374) 202 15

TEQUILAS DEL SEÑOR, S.A. DE C.V.
Río Tuito 1191-1193
44870, Guadalajara, Jalisco
Tel. (3) 657 7877
Fax (3) 657 2936

TEQUILAS DE LA DOÑA, S.A. DE C.V.
Tlapexco 25, Colonia Palo Alto
05110, Cuajimalpa, México, D.F.
Tel. (5) 259 5432
Fax (5) 259 5473

TEQUILEÑA, S.A. DE C.V.
Bruselas 285, Colonia Americana
44600, Guadalajara, Jalisco
Tel. Fax (3) 825 9329

TEQUILERA CORRALEJO S.A. DE C.V.
Hacienda Corralejo, 36921,
Pénjamo, Guanajuato
Tel. (5) 877 0203
Fax (5) 877 0334

TEQUILERA LA GONZALEÑA, S.A. DE C.V.
Ejército Nacional 404-104
Colonia Polanco
11570, México, D.F.
Tel. 531 5959 / Fax 531 8826

TEQUILERA NEWTON E HIJOS
S.A. DE C.V.
Ruperto Salas 168
Colonia Benito Juárez
45190, Guadalajara, Jalisco
Tel. Fax (3) 660 2945

TEQUILERA RÚSTICA DE ARANDAS,
S.A. DE C.V.
Norberto Gómez 408
Fraccionamiento El Sol
20030 Aguascalientes, Ags.
Tel. (49) 73 0545
Fax (49) 73 0547

Otras direcciones útiles
More Useful Addresses

CONSEJO REGULADOR DEL
TEQUILA, A.C.
Mexicaltzingo 2208 P.B.
Tel. (3) 616 9982
Fax (3) 616 9975

CÁMARA REGIONAL DE LA INDUSTRIA
TEQUILERA
Lázaro Cárdenas 3289, 5° Piso,
45000, Guadalajara, Jalisco
Tel. (3) 121 5021
Fax (3) 647 2031

RECETARIO DEL TEQUILA

RECIPES WITH TEQUILA

Juana Lomelí

APERITIVOS Y COCTELES

Coctel Margarita

2 onzas de tequila blanco, 1 onza de Cointreau, el jugo de dos limones, hielo, sal para escarchar

**Vierta en un mezclador el tequila, el Cointreau, el jugo de limón
y el hielo previamente picado. Agite y sirva en una copa escarchada con sal.**

Coctel Margarita a la rosa mexicano

2 onzas de tequila blanco, 2 onzas de Cointreau, el jugo de dos
limones, el jugo de una granada roja, hielo, sal para escarchar

**Extraiga el jugo de la granada en un exprimidor de naranja. Viér-
talo en el agitador con el resto de los ingredientes. Después de
agitarlo, sirva en una copa escarchada con sal.**

Bloody María

2 onzas de tequila blanco, 1 vaso de jugo de tomate o de clamato, el jugo de un limón, 1/2 cucharadita de salsa tabasco, 1/2 cucharadita de jugo Maggi, 1/2 cucharadita de salsa inglesa, pimienta negra molida, hielo, 1 tallo de apio

**En un vaso jaibolero con hielo vierta el tequila, el jugo de limón, las
salsas y la pimienta. Agite la mezcla y agregue el jugo de tomate
o el clamato y revuelva. Adorne con un tallo de apio.**

Caipirinha al tequila

1 onza de tequila, 2 limones, 2 cucharadas de azúcar, hielo

**Parta los limones a la mitad y quíteles las semillas. En un mortero,
macháquelos junto con el azúcar y el tequila. Sirva en un vaso
old-fashioned con hielo.**

Tequila sunrise

1 onza de tequila blanco, 1 onza de granadina, 1/2 taza de jugo de
naranja, hielo

**En un vaso jaibolero con hielo, vierta el tequila y el jugo de naran-
ja. Añada la granadina con ayuda de un mezclador.**

Charro negro

2 onzas de tequila, refresco de cola, hielo

En un vaso jaibolero con hielo, vierta el tequila y el refresco.

APERITIFS AND COCKTAILS

Margarita

2 ounces blanco tequila, 1 ounce Cointreau, the juice of 2 limes, ice, salt

Moisten the rim of a cocktail glass with lime juice and dip in salt to coat. Pour tequila, Cointreau and lime juice into a cocktail shaker with crushed ice and shake. Serve in prepared glass.

Mexican Rose Margarita

2 ounces blanco tequila , 2 ounces Cointreau, 1 red pomegranate, the juice of 2 limes, ice, salt

Rim a cocktail glass with lime and salt as in the margarita recipe. Extract pomegranate juice with an orange juicer. Pour into a cocktail shaker along with tequila, Cointreau, lime juice and ice, and shake. Serve in prepared glass.

Bloody María

2 ounces blanco tequila, tomato or clamato juice, the juice of 1 lime, 1/2 teaspoon Tabasco sauce, 1/2 teaspoon salsa Maggi, 1/2 teaspoon Worcestershire sauce, ground black pepper to taste, ice, 1 celery stalk

Combine the tequila, lime juice, sauces and pepper over ice in a highball glass. Add tomato or clamato juice to fill glass, stir, and garnish with the celery stalk.

Tequila Caipirinha

2 ounces tequila, 2 limes, 2 tablespoons sugar, ice

Halve limes and remove seeds. Crush limes with sugar and tequila in a mortar. Serve over ice in an old-fashioned glass.

Tequila Sunrise

1 ounce blanco tequila, 1/2 cup orange juice, 1 ounce grenadine, ice

Combine tequila and orange juice over ice in a highball glass. Add grenadine carefully and serve with a swizzle stick.

Charro Negro

2 ounces tequila, cola, ice

Serve tequila and cola over ice in a highball glass.

Toritos de fruta

2 onzas de tequila blanco o reposado, agua de frutas, hielo

En un vaso *old-fashioned* o jaibolero con hielo sirva el tequila y el agua de frutas de su preferencia. A continuación se presentan algunas recetas de aguas de frutas.

Agua de limón con hierbabuena

3 limones, 4 ramas de hierbabuena , 5 cucharadas de azúcar, 1 litro de agua purificada

Parta los limones en cuatro y quíteles las semillas. Muélalos en la licuadora junto con los demás ingredientes y cuele inmediatamente después. Refrigere la mezcla.

Agua de tuna

10 tunas, 1 limón, 5 cucharadas de azúcar, 1 1/2 litros de agua

Corte un limón a la mitad y retire las semillas. Pele las tunas. Muela todo perfectamente en la licuadora con el resto de los ingredientes. Cuele y refrigere.

Agua de lima

3 limas, 5 cucharadas de azúcar, 1 litro de agua purificada.

Lave las limas, córtelas en cuatro y quíteles las semillas. En la licuadora muela todos los ingredientes, cuele el agua y refrigere.

Agua de guanábana

1 guanábana mediana y madura, 6 cucharadas de azúcar, 1 1/2 litros de agua purificada

Pele y deshuese perfectamente la guanábana. Luego licúe todos los ingredientes y refrigere.

Sangrita

2 vasos de jugo de naranja, 4 cucharadas de salsa catsup, 2 cucharadas de salsa Maggi, 2 cucharadas de salsa inglesa, 1 cucharada de salsa tabasco, el jugo de dos limones.

Mezcle todos los ingredientes y refrigere. Sírvala bien fría para acompañar su tequila.

Sangrita verde

2 ramas de hierbabuena, 3 ramas de cilantro, 1 taza de jugo de naranja (de preferencia verde), el jugo de dos limones, 4 chiles verdes serranos, una cucharadita de azúcar, sal al gusto

Lave el cilantro y la hierbabuena; deshoje esta última. Muela en la licuadora todos los ingredientes. Refrigere y sirva bien fría para acompañar su tequila.

Fruit Toritos

2 ounces blanco or reposado tequila, fresh fruit drink, ice

In an old-fashioned or highball glass, serve tequila and the fresh fruit drink of your choice over ice. Recipes for fresh fruit drinks follow.

Limeade with Spearmint

3 limes, 4 sprigs fresh mint, 5 tablespoons sugar, 4 cups purified drinking water

Quarter limes and remove seeds. Purée in blender with remaining ingredients. Strain immediately and refrigerate.

Prickly Pear Drink

10 prickly pears, 1 lime, 5 tablespoons sugar, 6 cups purified drinking water

Halve lime and remove seeds. Peel prickly pears. Place all ingredients in blender and blend thoroughly. Strain and refrigerate.

Citronade

3 citrons, 5 tablespoons sugar, 4 cups purified drinking water

Wash and quarter citrons and remove seeds. Purée all ingredients in blender, strain and refrigerate.

Soursop Drink

1 medium-sized ripe soursop, 6 tablespoons sugar, 6 cups purified drinking water

Carefully peel and seed the soursop. Purée all ingredients in blender and refrigerate.

Sangrita

2 cups orange juice, 4 tablespoons catsup, 2 tablespoons salsa Maggi, 2 tablespoons Worcestershire sauce, 1 tablespoon Tabasco sauce, the juice of 2 limes

Combine all ingredients and refrigerate. Serve well-chilled as a tequila chaser.

Green Sangrita

1 cup orange juice, preferably from green oranges, the juice of 2 limes, 4 sprigs fresh mint, 3 sprigs fresh cilantro, 4 green *serrano* chili peppers 1 teaspoon sugar, salt to taste

Wash mint and cilantro. Remove mint leaves from stems and discard stems. Purée all ingredients in the blender and refrigerate. Serve well-chilled as a tequila chaser.

SOPAS

Gazpacho rojo

10 jitomates guajillo, 1 pimiento rojo sin rabo y sin semillas, 2 dientes de ajo, 1/2 taza de tequila, 1 pepino, 2 ramas de apio, 1 litro. de consomé de pollo desgrasado, sal al gusto, crutones

En la licuadora, junto con el consomé, muela perfectamente el jitomate, el pimiento, el ajo y el tequila con un poco de sal. Sirva bien frío con el pepino y las ramas de apio finamente picados. Agregue luego los crutones.

Gazpacho verde

8 tomates verdes, 1 pimiento verde, 1 pepino, 1 litro de consomé de pollo desgrasado, 1 taza de hojas de perejil, 1/2 taza de hojas de hierbabuena, 1 diente de ajo, 1/2 taza de tequila, 1/2 cebolla, sal y pimienta al gusto, tiras de tortilla doradas

Lave y pele los tomates; pique finamente el pimiento y el pepino. En la licuadora muela perfectamente los tomates, el perejil, la hierbabuena, el ajo, el tequila y la cebolla con el consomé. Sazone con sal y pimienta. Refrigere y sirva con el pepino, el pimiento y las tiras de tortilla doradas.

Borsch verde

1/2 kg de acelgas, 1 1/2 litros de consomé de pollo desgrasado, 3 huevos duros, 1 cebolla, 1/2 taza de tequila, pimienta y sal al gusto

Lave las acelgas y córtelas en tiras. Pique finamente los huevos y la cebolla. Ponga el caldo al fuego. Cuando empiece a hervir, vierta las acelgas y apague para que se cuezan con el calor. Agregue el tequila, los huevos y la cebolla. Sazone con sal y pimienta y refrigere. Sirva a temperatura ambiente.

Sopa de mariscos

200 grs de camarón cristal, 200 grs de mejillones, 200 grs de almeja blanca, 200 grs de calamar, 250 grs de huachinango, robalo o salmón, 5 jitomates guaje, 1 cebolla, 5 dientes de ajo, hierbas de olor, 4 cucharadas de cilantro, 1/2 taza de tequila reposado, 1 cabeza de pescado, aceite de oliva, sal al gusto

Pele el camarón y reserve las cáscaras y cabezas. Quite la uña y las vísceras al calamar; luego córtelo en rodajas. Corte el pescado en trozos; lave la cabeza y resérvela. En una olla profunda con dos litros de agua, ponga a cocer las cáscaras y las cabezas de cama-

Red Gazpacho

4 cups defatted chicken stock, 10 Roma tomatoes, 1 red bell pepper, 2 cloves garlic, 1/2 cup tequila, salt to taste, 1 cucumber, 2 celery stalks, croutons

Seed and devein red pepper. In a blender, thoroughly purée tomatoes, red bell pepper and garlic along with tequila, chicken stock and a little salt. Serve well-chilled with chopped cucumber and celery, garnishing with croutons just before serving.

Green Gazpacho

4 cups defatted chicken stock, 8 green tomatillos, 1 cup fresh parsley leaves, 1/2 cup fresh mint leaves, 1/2 onion, 1 clove garlic, 1/2 cup tequila, salt and pepper to taste, 1 cucumber, 1 green bell pepper, corn tortillas

Cut tortillas into strips and fry lightly until golden; set aside. Remove outer leaves from tomatillos and wash. Blend chicken stock, tomatillos, parsley, mint, onion, garlic and tequila thoroughly in blender. Season with salt and pepper. Refrigerate and serve with chopped cucumber and green bell pepper, garnished with tortilla strips.

Green Borsch

6 cups defatted chicken stock, 1 pound Swiss chard, 3 hard-boiled eggs, 1 onion, 1/2 cup tequila, salt and pepper to taste

Wash chard and cut into strips. Heat the stock in a pot. When it reaches boiling point, add the chard, remove pot from heat and let sit until chard is cooked. Add chopped hard-boiled eggs, minced onion and tequila. Season with salt and pepper and refrigerate. Serve at room temperature.

Seafood Soup

1/2 pound medium-sized shrimp, 1/2 pound squid, 1/2 pound mussels, 1/2 pound white clams, 3/5 pound red snapper or sea bass or salmon, 1 fish head, 5 Roma tomatoes, 1 onion, 5 cloves garlic, 1 bouquet garni, 4 tablespoons fresh cilantro, 1/2 cup reposado tequila, olive oil, salt to taste

Remove heads and shells from shrimp and place into a deep pot with 8 cups water. Set cleaned shrimp aside. Wash fish head and add to pot. Add 1/2 onion, 2 garlic cloves, bouquet garni and salt, and cook until it forms a broth. Strain and set aside.

rón y de pescado, previamente lavadas, con la mitad de la cebolla, dos dientes de ajo, hierbas de olor y sal. Cuando esté preparado el caldo, cuele y reserve. En una olla aparte sofría la otra mitad de cebolla, el ajo restante y el jitomate; vierta el caldo y espere a que hierva durante 10 minutos, luego agregue todos los mariscos, incluyendo el pescado. Baje la lumbre y deje hervir nuevamente por 5 minutos; agregue el tequila y el cilantro. Apague y sirva.

PLATOS FUERTES

Huachinango en verde

4 cucharadas de mantequilla, 1 huachinango de 1 1/2 kg , 8 tomatillos, 6 chiles serranos, 1 manojo de cilantro, 1 manojo de perejil, 8 cebollas de cambray, 2 cucharadas de aceite de oliva, 2 cucharaditas de pimienta blanca, 1 taza de tequila blanco

Caliente el horno a 350°C. En una charola para hornear ponga el huachinango entero y limpio; úntele la mantequilla, la sal y la pimienta. Cúbralo con las hierbas, las cebollas, los chiles cortados longitudinalmente con todo y rabos y los tomates pelados. Vierta el tequila y el aceite de oliva, cubra con papel aluminio y meta al horno durante 45 minutos o hasta que esté cocido. Sirva bien caliente acompañado de pan.

Camarones al tequila

1 kg de camarón cristal, 1/2 taza de piña en cubos, 1 cucharadita de jengibre rayado, 3 dientes de ajo, 2 chiles pasilla, 1 cucharada de aceite de maíz, 2 cucharadas de mantequilla, 1/4 de taza de tequila blanco

Corte el camarón en mariposa. Lave y desvene los chiles, luego córtelos en tiras; pique finamente el ajo y ralle el gengibre. En una sartén sobre fuego mediano ponga la mantequilla y el aceite. Sofría los ajos, el jengibre, el chile pasilla y la piña. Coloque los camarones hacia abajo; agrégueles un poco de sal y el tequila. Déjelos cocer y sirva inmediatamente.

Pierna de carnero al tequila

1 pierna de carnero, 2 cucharadas de salsa de ostión, 4 cebollas de rabo, 1 taza de tequila reposado o añejo, 3 dientes de ajo, 4 cucharadas de aceite de maíz, 3 cucharadas de vinagre de manzana, 3 cucharadas de pimienta negra quebrada, sal al gusto

Remove pen and viscera from the squid and discard. Slice squid into rings. Cut fish into pieces. Chop tomatoes, the remaining 1/2 onion and 3 cloves of garlic, and sauté in olive oil in a separate pot. Add broth and bring to a boil. Let boil 10 minutes, then add shrimp, squid, mussels, clams and fish. Lower heat and boil 5 more minutes. Add tequila and cilantro, remove from heat and serve.

MAIN DISHES

Red Snapper with Greens

1 red snapper about 3 1/2 pounds, 8 green tomatillos, 8 green onions, 6 green serrano chili peppers, 1 bunch fresh cilantro, 1 bunch fresh parsley, 4 tablespoons butter, 2 tablespoons olive oil, 1 cup blanco tequila, 2 teaspoons white pepper, salt to taste

Preheat oven to 550°F. Place the whole, cleaned red snapper into a baking dish and cover with butter, salt and pepper. Remove outer leaves from tomatillos and discard; wash and chop tomatillos. Slice green onions lengthwise; chop chili peppers and fresh herbs. Top fish with prepared vegetables. Pour the tequila and olive oil over the fish, cover with aluminum foil and bake 45 minutes or until cooked through. Serve very hot with bread.

Tequila Shrimp

2–2 1/2 pounds medium-sized shrimp, 1/2 cup diced pineapple, 2 dry *pasilla* chili peppers, 3 cloves garlic, 1 teaspoon grated fresh ginger, 1 tablespoon corn oil, 2 tablespoons butter, 1/4 cup blanco tequila, salt to taste

Split shrimp nearly through and open them up in a butterfly. Wash and devein *pasilla* chilies and cut into strips; mince garlic. Heat the butter and oil in a pan over medium heat. Sauté the pineapple, chilies, garlic and ginger. Place the shrimp cut side down in pan and add salt and tequila. Continue cooking until shrimp is done and serve immediately.

Leg of Lamb with Tequila

1 leg of lamb, 4 tablespoons corn oil, 3 tablespoons cider vinegar, 3 cloves of garlic, 3 tablespoons crushed black pepper, 2 tablespoons oyster sauce, 4 small onions with tails, 1 cup reposado or añejo tequila, salt to taste

Muela los ajos con la pimienta, el aceite y el vinagre. Unte esta pasta a la pierna y déjela marinar durante una hora. Caliente luego el horno a 350°C. Coloque la pierna en una charola y úntele la salsa de ostión; cubra con las cebollas de rabo y agregue la sal y el tequila. Cubra todo con aluminio y hornee aproximadamente hora y media. Sírvala bien caliente, acompañada de una salsa borracha y tortillas.

Filetes en salsa pimienta

6 filetes de res, 3 zanahorias, 1 cebolla grande , 2 dientes de ajo, 1 pizca de tomillo y laurel, 2 cucharadas de vinagre blanco o vino blanco, 1 pimiento rojo, 1/2 barrita de mantequilla, 2 tazas de fondo de res o ternera (puede sustituirse por uno de lata), 1 cucharada de aceite de maíz, 1 1/2 cucharadas de pimienta, negra molida, 1/2 taza de tequila reposado, sal al gusto.

Pique finamente la zanahoria, la cebolla, el ajo y el pimiento. En una sartén ponga la mantequilla y el aceite. A fuego mediano saltee la cebolla, el ajo, el pimiento y la zanahoria, hasta que se doren un poco. Agregue el fondo de res; deje a fuego lento durante 10 minutos y añada el vinagre, el tequila, las hierbas de olor y sazone con sal y pimienta. Deje nuevamente a fuego lento hasta que se reduzca a la mitad. Con esta salsa bañe el filete previamente asado a la parrilla. Sirva bien caliente.

Pollo al limón

1 pollo entero de 1 1/2 kg , 1 limón entero, 2 cucharadas de jugo de limón, 1 taza de jugo de naranja, 2 cucharadas de mantequilla, 2 cucharadas de aceite de oliva, 3 dientes de ajo, 3 hojas de laurel, 1/2 taza de tequila reposado, 2 cucharadas de pimienta negra quebrada, sal al gusto

En la licuadora muela los ajos con el aceite de oliva. Use esta pasta para cubrir todo el pollo y déjelo marinar durante una hora. Caliente el horno a 350°C. En una charola para hornear coloque el pollo y póngale la mantequilla. Luego vierta el tequila, el jugo de naranja y el del limón y la pimienta negra. Rellene el pollo con el limón cortado en cuatro y las hojas de laurel; tápelo con papel aluminio. Métalo al horno bien caliente durante 45 minutos o hasta que se cueza. Luego quítele el papel y déjelo dorar por otros 10 minutos. Sírvalo acompañado de arroz blanco.

Grind garlic with oil, vinegar and pepper. Spread this paste on the leg of lamb and marinate one hour. Preheat oven to 550°F. Place the lamb on a baking sheet and spread with oyster sauce. Top with chopped green onions and add salt and tequila. Cover with aluminum foil and bake 1 1/2 hours or until cooked through. Serve very hot with *salsa borracha* (chili sauce with pulque) and tortillas.

Tenderloin Fillets in Pepper Sauce

6 beef tenderloin fillets, 3 carrots, 1 red bell pepper, 1 large onion, 2 cloves garlic, 2 cups beef or veal stock (may be substituted with canned), 1/2 stick butter, 1 tablespoon corn oil, 2 tablespoons white wine or vinegar, 1/2 cup reposado tequila, a pinch each of thyme and crushed bay leaves, 1 1/2 tablespoons ground black pepper, salt to taste

Heat butter and oil in a pan. Chop carrots, red pepper, onion and garlic finely and add to pan. Sauté over medium heat until golden. Add the stock and cook at low heat 10 minutes. Add vinegar, tequila, dried herbs, salt and pepper and continue cooking over low heat until it reduces by half. Serve very hot over grilled tenderloin fillets.

Lime Chicken

1 whole chicken about 3 1/2 pounds, 1 cup orange juice, 1/2 cup reposado tequila, 1 whole lime, 2 tablespoons lime juice, 2 tablespoons butter, 2 tablespoons olive oil, 3 cloves garlic, 3 bay leaves, 2 tablespoons coarsely ground black pepper, salt to taste

In the blender, make a paste of the garlic and olive oil. Spread this paste over the chicken, covering it entirely, and marinate 1 hour. Preheat oven to 550°F. Place the chicken in a baking dish and spread butter over it. Stuff cavity of the chicken with the lime cut into quarters and bay leaves. Pour the tequila, orange juice and lime juice over the chicken and sprinkle with pepper. Cover with aluminum foil and bake 45 minutes to an hour, or until cooked through. Remove the foil and let brown for another 10 minutes. Serve with white rice.

POSTRES

Pastel Josefina

1 taza de mantequilla, 3 tazas de azúcar morena, 4 huevos, 2 cucharaditas de vainilla, 3/4 de taza de cocoa en polvo, 1/2 cucharadita de sal, 1 cucharadita de chile de árbol en polvo, 3 cucharaditas de bicarbonato, 3 tazas de harina cernida, 1 1/3 tazas de crema agria, 1 1/3 de agua hirviendo, 1/2 taza de tequila reposado

Engrase y enharine un molde redondo de tamaño mediano para pastel. Caliente el horno a 200°C. En un tazón acreme la mantequilla con la batidora eléctrica, agregue el azúcar y los huevos; siga batiendo por 5 minutos más. Con la batidora a su mínima velocidad bata la vainilla, la cocoa, el chile en polvo, el bicarbonato y la sal. Agregue la harina, alternando con la crema agria hasta integrar todos los ingredientes. Añada el agua caliente y revuelva con una espátula de madera. Vierta la mezcla en el molde y hornee durante 35 minutos. Déjelo enfriar, sáquelo del molde y báñelo de tequila. Espolvoréelo de cocoa.

Panqué de naranja

3 tazas de harina cernida, 3 huevos, 1 cucharadita de extracto de vainilla, 1 cucharadita de canela, 2 tazas de azúcar, 1 cucharadita de royal, 2 cucharaditas de rayadura de naranja, 1 cucharadita de rayadura de limón, 1 barra de mantequilla, 1 taza de leche, 1/2 taza de tequila reposado

Engrase y enharine un molde mediano para panqué. Caliente el horno a 300°C. En un tazón acreme la mantequilla con la batidora, agregue las yemas y el azúcar y bátalo por otros cinco minutos. Agregue una por una las tazas de harina y luego la leche. Agregue el polvo de royal, la vainilla, la canela y las raspaduras de naranja y de limón. Bata y vierta en el molde. Introdúzcalo al horno de 25 a 30 minutos. Déjelo enfriar; saque del molde; báñelo de tequila y cúbralo con azúcar glass cernida.

Tejocotes tequilados

1 kg de tejocotes, 1 1/2 litros de agua, 1 1/2 tazas de azúcar, 1 rama de canela, 3 cardamomos, hebras de azafrán, 1/2 taza de tequila reposado

Cueza en agua los tejocotes y luego pélelos. En una olla ponga el agua con que cocio los tejocotes, el azúcar, el azafrán, los cardamomos y la canela a fuego lento hasta formar una miel. Agregue el tequila y los tejocotes y luego apague. Guarde en frascos esterilizados y refrigere.

Josefina Cake

3 cups sifted flour, 3 cups brown sugar, 3/4 cup unsweetened cocoa, 1 1/3 cups sour cream, 1 cup butter, 4 eggs, 1 1/3 cups boiling water, 3 teaspoons baking soda, 1/2 teaspoon salt, 2 teaspoons vanilla extract, 1 teaspoon ground dried *chile de árbol* (hot chili pepper) 1/2 cup reposado tequila

Grease and flour a medium round cake pan. Preheat oven to 400°F. Cream the butter in a large bowl with an electric mixer. Add the sugar and eggs and continue beating 5 more minutes. On the lowest speed, beat in the cocoa, baking soda, vanilla, ground *chile de árbol* and salt. Gradually add flour and sour cream, alternating them and mixing until well combined. Add the hot water and mix with a wooden spoon. Pour the batter into the cake pan and bake 35 minutes, or until a knife inserted into the center comes out clean. Cool, remove from the pan and drizzle with tequila; sprinkle with cocoa.

Orange Loaf

3 cups sifted flour, 2 cups sugar, 1 cup milk, 1 stick butter, 3 egg yolks, 1 teaspoon baking powder, 1 teaspoon vanilla extract, 1 teaspoon cinnamon, 2 teaspoons grated orange peel, 1 teaspoon grated lime peel, 1/2 cup reposado tequila, icing sugar

Grease and flour a medium loaf pan. Preheat oven to 550°F. Cream butter in a large bowl with an electric mixer. Add egg yolks and sugar and continue beating 5 minutes. Add flour a cup at a time, mixing well, and then mix in milk. Add baking powder, vanilla, cinnamon and grated orange and lime peel. Beat together and pour batter into the pan. Bake 25 to 30 minutes or until a knife inserted into the center comes out clean. Let cool, remove from pan, drizzle with tequila and sprinkle with sifted icing sugar.

Tejococtes in Tequila Syrup

2–2 1/2 pounds *tejocotes* (haw fruit), 6 cups water, 1 1/2 cups sugar, 1 cinnamon stick, 3 whole cardamom pods, a few strands saffron, 1 1/2 cups reposado tequila

Cook the fruit in the 6 cups of water and peel. Place the water in a pot with the sugar, cinnamon, cardamom and saffron and cook over low heat until it forms a syrup. Add the tequila and fruit and remove from heat. Pour into sterilized jars and refrigerate.

ARTES
DE MEXICO

EL TEQUILA
ARTE TRADICIONAL DE MEXICO

NÚMERO 27

El tequila, arte tradicional de México
El número 27 de la revista-libro Artes
de México *le descubrirá diferentes aspectos sobre la historia y la cultura de esta bebida tan nuestra.* **Alvaro Mutis** nos entrega un extraordinario poema a manera de aperitivo.

Alfonso Alfaro explora el mundo simbólico que representa este refinado elíxir, producto de nuestra identidad mestiza.

José María Muriá nos conduce a través del tiempo por los senderos que llevaron al tequila a ser emblema de la mexicanidad.

Margarita de Orellana sigue las pistas de la industria tequilera más antigua del país.

Magali Tercero recorre los campos tequileros escuchando los testimonios de aquellos que viven su cotidianidad a la sombra de los agaves azules.

José López Portillo y Rojas nos relata el proceso tradicional para producir este precioso líquido.

Juan Palomar Verea nos describe los jardines construidos alrededor del paisaje tequilero.

María Palomar persigue las distintas maneras de percibir el paisaje azul del tequila en los ojos perplejos de los visitantes extranjeros.

Efraín Huerta, en un bello poema, enseña a su amigo Hildebrando Pérez a tomar un caballito de tequila.

Vicente Quirarte introduce esta bebida en el paisaje estético en el que también se ha desarrollado: la literatura, la música y el cine.

Y como postre, un divertido cuento inédito de **Laura Esquivel,** la autora de *Como agua para chocolate.*

No se lo pierda..

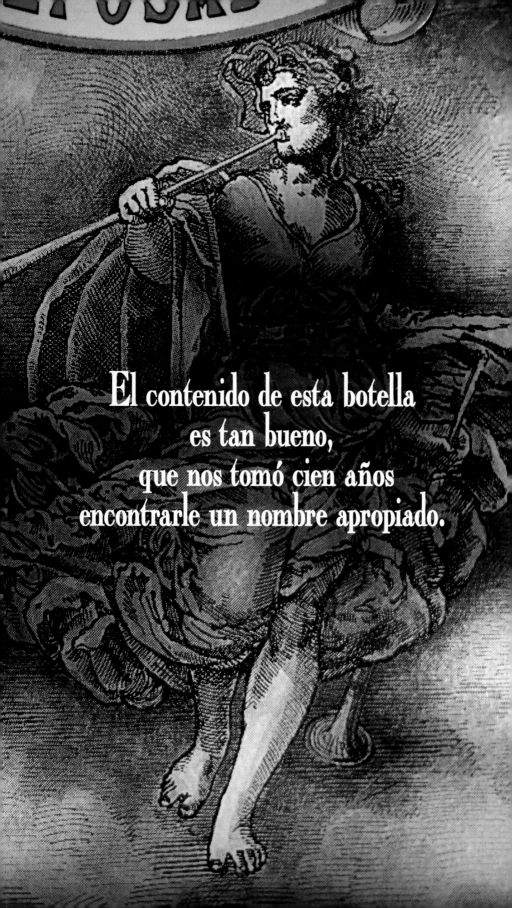

El contenido de esta botella
es tan bueno,
que nos tomó cien años
encontrarle un nombre apropiado.

El tequila del siglo.

S.S.A. AA4 IYB 060

CONOCER ES NO EXCEDERSE

El Arte de un Auténtico Tequila

Galardón

Gran

Reposado

100% Agave Azul

EVITE EL EXCESO

It's a Tequila Distillery... it's an old "Hacienda"... it's a Tequila Museum... yes!, It's the most flavorful Mexican restaurant!

LA DESTILERIA
RESTAURANTE & MUSEO DEL TEQUILA ®

We'll transport you to a unique tequila producing "Hacienda", where you will taste the real flavors of traditional and authentic mexican dishes, prepared only with natural ingredients.
Visit "The First Tequila Museum" and most important... taste the way we celebrate life here in Mexico.

Lo invitamos a conocer una antigua hacienda productora de Tequila. Descubra lo más tradicional y auténtico de nuestra cocina mexicana, preparada con ingredientes naturales.
Conozca el "Primer Museo del Tequila" y lo mejor..., siéntase orgulloso de lo bien que la pasamos aquí... en nuestro México.

Guadalajara Av. México 2916 Esq. Nelson, Providencia Terranova, Tel.(3) 640-3440
Cd. de México Pabellón Polanco, Shopping Mall, Tel. 395-4971
Toluca Paseo Tollocan 1202, Tel.(72) 11-5404
Cancún Blvd. Kukulkán Km.12.65, Zona Hotelera, Tel.(98) 85-1087

More than 150 brands of tequila
Contamos con más de 150 diferentes tipos de tequila

GRUPO ORRACA

La indiscreción
es un **arte**

Durante mucho tiempo el secreto mejor guardado en Guadalajara
fue la belleza de su centro histórico

Pero el silencio se ha roto

al abrir las casonas, sus patios,
los jardines sus flores y los tapatíos
su álbum de recuerdos

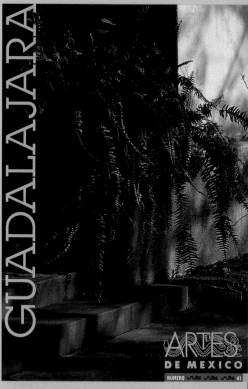

GUADALAJARA

ARTES
DE MEXICO

NÚMERO 41

La grata indiscreción de *Artes de México* debe mucho
a un grupo de literatos, historiadores y arquitectos
que aceptaron ser nuestros cómplices y, con la pasión
que les despierta su tierra, nos revelan brillos casi
desconocidos de esta **"perla de Occidente"**

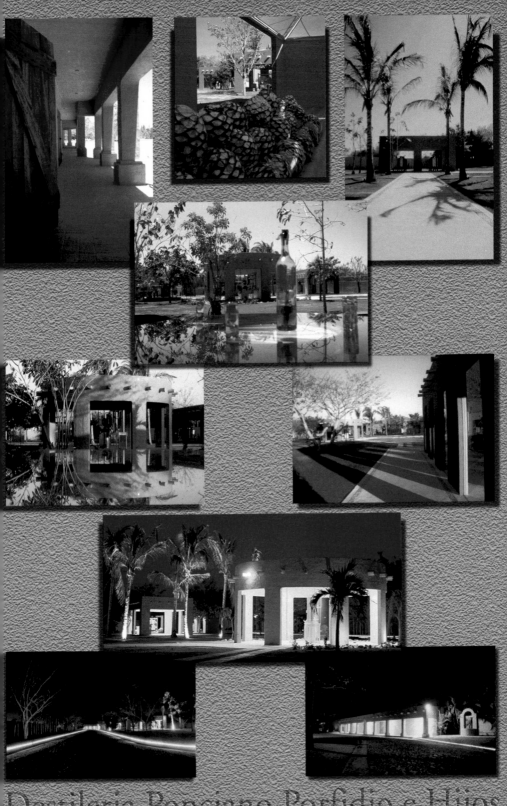

Destileria Ponciano Porfidio e Hijos

PUERTO VALLARTA, JALISCO.

VISITANOS   Tel. (322)125 45   Horario de Visita 12:00pm. a 20:00p.m.

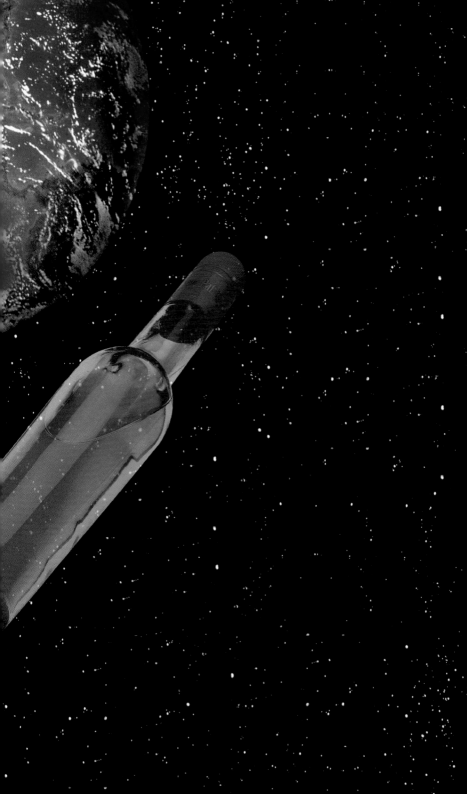

DIRECCION COMERCIAL (5) 227 95'00 VIDRIERA MONTERREY (8) 329 10 00
VIDRIERA GUADALAJARA (3) 669 11 00 TIJUANA,(6) 634 35 87

El Vidrio es parte
de la Tradición Mexicana
el Tequila es ya parte de la tradición
del Mundo

GRUPO VITRO

TEQUILA

Mapilli®

Donde la Tradición Comienza

Años de esfuerzo hacen posible la degustación de este Tequila, orgullo de las tierras rojas de Tepatitlán Jalisco. Desde el cultivo de nuestros selectos agaves hasta su cuidadoso reposo en barricas de roble, Mapilli® es el resultado de una calidad indiscutible que perdura y trasciende.

Years of hard work make possible the tasting of this Tequila, pride of the red lands of Tepatitlan, Jalisco. From the harvest of our selected agaves to the careful storage in our oak barrels, Mapilli™ is the result of indisputable quality that lasts and transcends.

Oficina Comercial Cd. de México - Export Office
Tel/fax (52-5) 531-92-96 / 534-55-96
Internet: http://www.mapilli.com
e-mail: infoweb@mapilli.com

EVITE EL EXCESO

S.S.A. I21HYBA4

Los Tequilas de la casa...

... son de la Casa San Matías.

SIN ABUSAR SE DISFRUTA MEJOR   CLAVE 332XR4AE

No se limite al aperitivo...

DISFRUTE DE LLENO DEL GRAN FESTÍN QUE ES EL ARTE MEXICANO

Para ser un invitado predilecto sólo tiene que sumarse al grupo de amigos suscriptores de *Artes de México*... Cada página de este libro-revista se sazona con una alquimia que permite halagar no sólo al gusto, sino al resto de

los sentidos...

la musical poesía que despiertan la Guadalupana, la suerte, la muerte niña, las serpientes, los viajeros, y tantas otras obsesiones nuestras...

el colorido arte popular de Tonalá y Metepec; el deslumbrante arte prehispánico y virreinal; los cielos patentados por Gabriel Figueroa, entre otras visiones...

las manos maestras que dan nueva vida a la lana, el algodón, la paja y el barro...

la atmósfera singular de Oaxaca, Puebla, Querétaro, Zacatecas, San Miguel de Allende y otras espléndidas ciudades...

ARTES DE MEXICO

A C E P T E   S E R   N U E S T R O   A M I G O   Y   S U S C R I P T O R

SEIS NÚMEROS $600 pesos (150 USD) • DOCE NÚMEROS $1 200 pesos (300 USD)

INFORMES: Plaza Río de Janeiro 52, Col. Roma, 06700, México, D. F. TELS. 525 4036 • 208 1732 • 208 3205 / FAX 525 5925

MAYORAZGO®

Nuevo Tequila para los Conocedores

El legado de tequila para la marca Mayorazgo data desde 1911, pero no es sino hasta 1970 que se establece la fábrica de tequila La Unión. Ahora la fábrica La Unión, ubicada en el poblado de Tototlán en los Altos de Jalisco, región considerada como una de las que produce los mejores agaves, tiene el gusto de presentar su primer tequila reposado 100% agave para el mercado mexicano.

Mayorazgo toma su nombre de la tradición que responsabiliza al hijo mayor de preservar los bienes y tradiciones de la familia, mismas que ahora hemos vertido en nuestro Tequila Mayorazgo.

Y es que Tequila Mayorazgo, 100% Agave Reposado Reserva Regional, es el tequila que buscan los verdaderos conocedores. Es una Reserva exclusiva para todos aquellos que en realidad aprecian la genuina tradición del tequila. Todo eso se refleja en su color, sabor, aroma, en la forma característica de su botella y en su etiqueta inconfundible.

En cada botella de Mayorazgo están contenidas viejas historias y antiguas usanzas que ahora muy pocos conocen.

Para degustar todas esas cualidades tan valoradas por nosotros que ofrece Tequila Mayorazgo, también hay que ser conocedor de los buenos lugares, porque a Mayorazgo sólo se le puede encontrar en lugares muy selectos, restaurantes de especialidades o bares muy exclusivos, en los que seguramente podrá deleitarse con tan apreciada bebida.

Ningún otro tequila ha nacido con tanta fortuna y con tan buen nombre como Mayorazgo Reserva Regional para el deleite de los paladares más exigentes.

EVITE EL EXCESO

E**l** *paisaje tequilero for-*

ma parte de una geografía

sorprendente: el estado de

Jalisco. Esta región es descu-

bierta al emprender re-

corridos poéticos a través

de imágenes y palabras.

Una manera suave de co-

nocerla antes de visitarla.

Adquiéralo en librerías de prestigio, o en:

Plaza Río de Janeiro 52, Col. Roma

tels. 525 5905 y 525 40 36.

Jalisco
tierra del Tequila

ITINERARIOS
PORFIRIO
DE MÉXICO

inspirado libremente en el ejemplar

de Artes de México: EL TEQUILA,

arte tradicional de México

JOEL RENDÓN,

uno de los jóvenes grabadores

más destacados de nuestro país

realizó estas obras

grabadas
en linóleo   e impresas

sobre papel de algodón
      de 56×38 cm.

EDICIÓN LIMITADA
A 100 EJEMPLARES

Adquiéralos en su carpeta original

o enmarcados bellamente en hoja de lata.

ARTES
DE MÉXICO

PRECIO CARPETA $4000⁰⁰/ 750 USD

PRECIO DE LOS 4 GRABADOS ENMARCADOS $7,000⁰⁰
ÚNICAMENTE en MÉXICO

PREGUNTE POR NUESTROS PRECIOS ESPECIALES PARA SUBSCRIPTORES

Casa Cuervo,

Atajo de mulas cargado con mezcales al llegar a la fábrica "La Constancia", propiedad de José Cuervo y Anita González Rubio. *Ca.* 1900.

Especialistas en Tequilas

Coahuila 206, Col. Roma Sur, 06700 México D.F., Tel. 574 0056 • Fax. 574 3886

T E Q U I L A

1910

Amate

Arroyo Negro

Azulejos

Caballo Dorado

Canicas

Casa Noble

Comalteco

Coronel

De Los Altos

Del Terrajal

Don Mariano

El Grito

El Teporocho •

Gemma •

Goyri •

Jalisco Alegre •

La Boom •

Maximi´s •

Onix •

Ortigoza •

Real Vallederos •

Santos •

Tenoch •

Tonatiuh •

Zapopan •

El Mayor Desarrollador de Marcas en México

Pepe Vinoria

LA HORMIGA

SEVILLA La VILLA

LA COFRADIA, S.A. DE C.V.
CALLE LA COFRADIA S/N TEQUILA, JALISCO, MEXICO
TEL: 52 (3) 629 6010, 673 2443, 673 2491   FAX: 52 (3) 673 2492
email: cofradia@mpsnet.com.mx

La destilación editorial de *La Guía de Tequila* estuvo bajo el cuidado de *Artes de México*. En sus páginas interiores se utilizó papel Creaprint de 135 grs. fabricado por Torras Papel. La reserva, de 30 000 ejemplares, a cargo de Reproducciones Fotomecánicas, S.A., estuvo lista en octubre de 1998. ¡Salud!